L'HOMME PRÉCAIRE

ET LA LITTÉRATURE

ANDRÉ MALRAUX

L'Homme précaire
et la littérature

GALLIMARD

Il a été tiré de l'édition originale de cet ouvrage cent soixante-dix exemplaires sur vergé blanc de Hollande van Gelder numérotés de 1 à 170 et quatre cent cinquante-cinq exemplaires sur vélin d'Arches Arjomari-Prioux numérotés de 171 à 625.

PORTRAITS DANS L'ANTICHAMBRE

Avant la guerre, l'idée me vint de demander aux écrivains d'écrire ce qu'ils pensaient des maîtres du passé dont ils avaient envie de parler. Le recueil de ces textes, publié avec une préface d'André Gide, ne couvrait encore que *De Corneille à Chénier*. Mais on y voyait la métamorphose de la littérature. J'avais conçu ce livre en rêvant qu'on le recommencerait dans cent ans; que, ne le recommençât-on pas, des lecteurs nous liraient alors avec la même passion que nous lirions aujourd'hui un semblable *Tableau de la Littérature française*, composé par les écrivains de 1850.

Gide consacra une partie de sa préface, à ce qu'eût signifié jadis une telle entreprise, en face de la critique universitaire.

La force de l'Université tenait à ce qu'enseigner la littérature est d'abord enseigner son histoire, supposée soumise à la courbe traditionnelle : maladresse, perfection, décadence.

07300

Or, il devenait évident que la création bouleverse plus qu'elle ne perfectionne; qu'une histoire de la création littéraire n'est ni une histoire de perfectionnements, ni un cortège de ceux « qui ont marqué les jalons ». En outre, l'étudiant sensible à la poésie ne découvre pas les poètes, des origines à nos jours, il les découvre dans une chronologie discontinue, gouvernée par leurs affinités; et qui ne commence pas aux origines, mais précisément à nos jours : de Verlaine à Villon, non de Villon à Verlaine. Déjà le conflit entre les valeurs officielles et celles des écrivains s'effaçait devant l'impérialisme provocateur de toute *histoire* de la littérature. Ce recueil modestement appelé *Tableau* montrait qu'une vue d'ensemble pouvait n'obéir qu'incidemment à l'histoire, et pourtant échapper, plus même qu'une histoire écrite par un seul auteur, à la critique subjective ou impressionniste. L'ouvrage ne s'opposait pas plus aux histoires de la littérature universitaire qu'à celle de Thibaudet; il s'opposait à ses rivaux imaginaires du siècle dernier et du siècle prochain. On attendait un système; on découvrait un domaine — et la métamorphose littéraire, à l'œuvre.

Dans une grande confusion, car il semblait que cette métamorphose du passé, cette révolution du présent, fussent à la fois criantes et inaperçues. L'étonnant n'est pas que la littérature ait liquidé ses Pompiers comme la peinture, c'est que nous en ayons si mal pris conscience.

Vers 1920, avaient eu lieu deux événements : la reconnaissance du génie de Baudelaire et les funérailles nationales d'Anatole France.

Par la promotion de Baudelaire, liée à l'entrée des *Fleurs du mal* dans le domaine public, la prise de pouvoir de la poésie moderne, qu'on l'appelât ou non symbolisme, suivait celle de la peinture moderne. Car la mort écrit, à sa manière, l'histoire de la littérature : Verlaine et Mallarmé, morts au xixe siècle, sont contemporains de France. On n'eût pas accordé des funérailles nationales à Mallarmé? Son successeur imaginaire, Valéry, allait entrer triomphalement à l'Académie Française — après la préface où Claudel proclamait le génie de Rimbaud.

Cette Académie conservait son prestige, perdait son pouvoir. Elle avait rejeté Balzac. Et le trio des " auteurs poursuivis " : Baudelaire,

9

Flaubert, Goncourt. Et les maîtres du symbolisme. Et ceux du naturalisme (Zola aussi, est contemporain de France, de Verlaine, de Mallarmé!). Nous le savions. Mais nous avions oublié la littérature peu à peu disparue qu'elle avait accueillie à bras ouverts et qu'allégorise le rival de Flaubert en 1857 : Octave Feuillet.

Les valeurs de cette littérature s'alliaient à celles de l'Université. La gloire de Baudelaire marque la chute des auteurs de manuels dans le néant. Brunetière nous semble préhistorique : rejeter Baudelaire, tancer Flaubert, au nom de quoi? De *La Revue des Deux Mondes*, fille de l'Académie, nièce de la Sorbonne. Celle-ci ne fut point une invention délirante de Péguy.

Les essais des écrivains : Gide, Suarès, remplaçaient les critiques des universitaires. Quant au roman, il ne suffit pas de changer les bustes : en tant que domaine capital et international, ce que *nous* appelons le roman est né alors. Avec ce que nous en avons vu, et aussi avec la pressante interrogation sur l'homme que nous trouverons jusque chez Joseph Conrad, parce qu'elle deviendra celle de l'Occident, et que l'homme ne posait pas à Paul Bourget, les questions qu'il posait à Ibsen et à Dostoïevski. Nous avons oublié qu'il en posait à Dumas fils : elles ont pourtant empli l'Europe. A l'exception (furtive) d'Alphonse Daudet, les romanciers que l'on avait élus depuis le Second Empire jusqu'en 1910 étaient si bien partis en fumée, que nous nous accrochions au nom de Feuillet. L'Académie était morte de l'irruption des écrivains maudits : comment eût-elle élu Verlaine, qui disait : « Ils ont peur de me voir emporter le fauteuil! » La Sorbonne avait perdu son autorité, au bénéfice de la N.R.F., qui fut professionnelle; mais cette défaite ne se limitait pas plus à celle des lettres sur une illustre Compagnie, qu'à celle de la bohème, pas même à celle du poète maudit sur l' « honnête homme » de jadis. L'Académie eût élu Gide au temps de son prix Nobel. Et cette élection eût marqué, mieux que celle de Valéry, la revanche de Baudelaire. Car nul écrivain ne fut attaqué autant que Gide pour sa « mise en question de l'homme », héritière de celle qu'avait tentée Baudelaire dans *Les Fleurs du mal* comme dans ses notes intimes. On avait remplacé Rostand par Claudel sans trop s'en apercevoir, on allait remplacer Voltaire par Pascal, en s'en apercevant.

J'avais demandé à tous les collaborateurs, de parler de ce qu'ils aimaient. Par là, le *Tableau* se séparait radicalement de ce qui l'avait précédé. Posant que l'art ignore tout hors du talent et du néant, ce livre ne se souciait que de faire aimer mieux, davantage ou autrement, les écrivains dont il traitait — donc, de les rendre présents. Chaque auteur devenait le metteur en scène de l'écrivain qu'il avait choisi. Cette " critique " ne tentait pas de convaincre par l'argumentation, mais par la contagion.

Il y avait de la surprise dans notre aventure. Gide ne tirait point Montaigne à lui : surpris du désaccord qu'il constatait entre l'opinion reçue et la sienne, il voulait étudier sa surprise. Après la critique impressionniste qu'avait symbolisée Anatole France, le désaccord nous apparaissait beaucoup moins individuel qu'on ne l'avait cru avant la guerre; et insolite, car Valéry, Gide surtout, se fussent aussi peu accordés à Gourmont, voire à Maurras, qu'à l'Université. Un consensus s'établissait sur le choix des auteurs traités, de ceux auxquels chacun se référait, et aussi sur le déménagement de certains locataires — non des moindres. On ne songeait pas à chasser Racine; mais avec

12

Giraudoux, il changeait de château. Nul n'était contraint de le lire comme le faisait Giraudoux; ni La Fontaine, comme Fargue; ni Molière, comme Fernandez — mais nul ne pensait que l'écrivain qui choisirait La Fontaine pût le lire désormais comme Taine. De même que les peintres attachaient beaucoup plus d'importance *à la peinture* qu'autrefois, nous attachions plus d'importance à l'art de La Fontaine qu'à sa biographie, sa morale, son temps. Ce qui méritait l'attention, car Taine, soumettant l'œuvre de La Fontaine à son époque, à son milieu, savait clairement ce qu'il entendait par là, alors que nous substituions aux déterminismes une complicité allusive, non une esthétique. Disons : celle que Fargue et Giraudoux ont partagée lorsqu'ils ont tous deux parlé de La Fontaine (de façons pourtant différentes) et que Taine avait ignorée. Le *Tableau* n'apportait donc pas une doctrine : il dégageait une nouvelle relation avec la littérature, et le sentiment que le lecteur gouvernait beaucoup moins son admiration qu'il ne l'avait cru...

D'autres attractions suivraient.

Ce dialogue avec le passé reconnaissait pour valeur suprême la *présence* des œuvres. Que le Gérard de Nerval des *Chimères* soit mineur en face du Victor Hugo de *La Légende des siècles* n'a aucun intérêt pour un poète : la présence ne se comptabilise pas. Un nain ressuscité n'est pas moins étonnant qu'un géant, et il ressemble plus à un géant ressuscité, qu'un géant mort.

« Comprendre une œuvre » n'est pas une expression moins confuse que « comprendre un homme ». Il ne s'agit pas de rendre une œuvre intelligible, mais de rendre sensible à ce qui fait sa valeur. Ne pas comprendre une œuvre littéraire n'a rien de commun avec ne pas comprendre un exposé. Dans le second cas, le lecteur ne comprend *rien;* dans le premier, il se fourvoie. Par un procès d'intention, il a prêté à l'artiste un dessein qui n'est pas le sien. Il lui reproche d'avoir conçu, ou mal accompli, ce dessein supposé. L'exemple le plus banal en est l'inépuisable procès en mystification, intenté à tant de novateurs. Mais le dessein des créateurs est-il rigoureusement formé, ou sommes-nous victimes du préjugé qu'une scène biblique de Rembrandt *reproduit* une scène imaginée par lui, donc un tableau vivant? Gide se demande si Baudelaire ne se méprit pas sur ce qui faisait son génie. « Créer un poncif, c'est le génie : je dois créer un poncif. » D'où ses accessoires de cimetière. Mettait-il pour autant *Une charogne* plus haut que *Recueillement?* Sans doute l'écart entre le dessein initial et l'œuvre achevée fait-il partie de la nature de l'œuvre d'art. Mais si nous ne lisons pas *Recueillement* comme le lisait Baudelaire, c'est que nous avons lu Rimbaud et Mallarmé : la métamorphose nous sépare d'abord du génie, par les créations qui ont succédé aux siennes...

Gide s'attache à cette méprise, parce que ceux qui tenaient l'art pour objet de connaissance postulaient une " vérité " des œuvres, indépendante des jugements successifs. La vérité des fresques de Giotto à la chapelle de Padoue était ce qu'en avait pensé Giotto. Malheureusement, il en pensait qu'elles imitaient la nature, ce qui rend mal compte de notre admiration pour sa tendresse souveraine. L'artiste ne possède pas le secret de son génie.

Les génies secrets sont assez nombreux parmi les artistes dont les contemporains reconnurent le talent : Baudelaire, Nerval, Diderot, Molière,

Cervantès, Shakespeare. Mais quels contemporains de Cervantès et de Shakespeare les tinrent pour des colosses? On connaît le dialogue : « Monsieur Despréaux, quel est le plus grand écrivain de mon règne? — Sire, c'est Molière. — Tiens! Je ne l'aurais pas cru... Mais vous devez le savoir mieux que moi. » La cour pensait comme Louis XIV — et Molière aussi, souvent. Balzac, lui, sait qu'il est Balzac; à l'Académie, il ne recevra pourtant que la voix de Victor Hugo. Par « ce qui fait le génie de Baudelaire », Gide entend : ce pour quoi *nous* l'admirons. Il est temps d'y ajouter l'élément inconnaissable pour nous, par lequel le siècle prochain l'admirera autrement.

Le besoin de déceler, dans une œuvre, la promesse de sa survie, me semble, malgré Picasso, un sentiment de médium plus que de marchand de tableaux. L'œuvre d'art survivante nous atteint dans un double temps qui n'appartient qu'à elle : celui de son auteur et le nôtre. Un Rembrandt de 1660 ne peut être enfermé dans cette date comme n'importe quel tableau peint la même année, ni dans la date de l'année 1975 à laquelle nous l'admirons. Nous y reviendrons. Une œuvre contemporaine assurée de la postérité appartiendrait, elle aussi, à un double temps de l'art, le nôtre et celui de l'avenir.

Nous avons d'abord fait, de la postérité, la pérennité de la gloire. Victor Hugo était « entré vivant dans l'immortalité » : il y restait. Puis, elle rendit aux poètes maudits une justice tardive; mais la gloire acquise ne s'effaçait pas. Sans doute avait-on oublié l'antiquité pendant des siècles, mais les lumières avaient dissipé les ténèbres pour toujours; l'esprit étroit des classiques avait dédaigné les cathédrales, mais on les admirait pour toujours. On n'avait pas besoin de Boileau pour admirer Villon. On pouvait donc prévoir la vie posthume des œuvres d'art.

Pas nous.

Sophocle a été admiré par ses contemporains comme Corneille par les siens.

Par les hellénistiques et les romains, comme un des Pères de la Tragédie, qu'on admirait et n'imitait plus.

Il a disparu pendant un millier d'années.

Il a reparu chargé d'une gloire comparable à celle de Platon, mais le Père du tragique devenait celui d'un art mesuré, peu enclin aux yeux crevés, aux hurlements d'Œdipe, et même à

Tirésias. Comme Phidias était devenu le Père des antiques, du Laocoon, de l'Apollon du Belvédère. Londres regarda les figures rapportées par Lord Elgin, avec une stupéfaction déconcertée : elles ne ressemblaient pas à celles de Canova.

Enfin, le goût des hautes époques, la découverte des Corés de l'Acropole, la résurrection d'Olympie, dégagèrent le style sévère. L'on admira en Phidias, non le précurseur des antiques (dont nous nous soucions peu), mais le dernier et le plus lyrique génie du style sévère — en face des Lapithes d'Olympie, de l'Héraklès d'Égine, et non de la Vénus des Médicis, ni du peuple de Père-Lachaise que nous ont légués Alexandrie et Rome — à l'époque où l'on découvrait le vrai Sophocle. Racine, qui savait le grec, semble avoir vu dans les héros d'Euripide des statues du Belvédère...

Il serait facile de suivre, en sens inverse, Gislebert d'Autun ou le tympan de Moissac. Et Homère, Virgile, Villon, même Shakespeare ou Racine. Comment l'un de nos grands styles échapperait-il à la métamorphose, puisque la Renaissance a dû ressusciter un passé enseveli, et le romantisme, un passé méprisé?

Nous ne confondons plus la métamorphose avec l'immortalité. Le génie de Sophocle, de Phidias ou de Racine serait-il dans ce qu'admirèrent en commun les siècles qui les ont admirés? Mais ces raisons n'ont rien de commun entre elles; les vers de Racine que nous savons par cœur ne sont même pas ceux qu'eût choisis Boileau, et la sculpture médiévale ressuscita comme un expressionnisme. Les métamorphoses sont pourtant différentes en ce que notre prise sur une œuvre du passé est commandée par notre Musée Imaginaire. Ce que nous découvrons dans les frises du Parthénon y est, nul ne pourrait l'inventer. Mais Phidias ne les voyait pas comme nous? Elles ont parlé le langage de leur création, et celui que crurent entendre les Grandes Monarchies, et celui qu'entendit le xixe siècle. Goya n'a pas été admiré par Picasso comme par Baudelaire, par Victor Hugo, par Goya lui-même. Nous admirons les Vierges romanes de pèlerinage comme des fétiches, on ne les admirait pas au siècle dernier, et ceux qui les sculptaient ne les admiraient pas non plus, mais ils les priaient. Et sans doute Sophocle admira-t-il *Antigone,* mais pas comme nous.

Peu de civilisations auront aussi bien ignoré que la nôtre, les raisons de leur admiration. Nous avons vu beaucoup de chefs-d'œuvre exhumés, beaucoup de bas-reliefs médiévaux dégagés de leurs surmoulages baroques, nous savons trop que l'on eut tort de tenir pour l'égale de *L'Iliade,* l'épopée des *Argonautiques,* et que la littérature alexandrine a sombré corps et biens. Nous savons que la tragédie grecque est morte avec le chœur; ses princes, que notre classicisme imite parce qu'il voit en eux des " personnes de qualité ", avaient été les héros du théâtre parce qu'ils y avaient incarné la cité, non leurs sentiments. L'idée que Voltaire se faisait d'*Œdipe* — œuvre géniale d'un chaman ivre de sa tribu et de ses esprits, jouée par des acteurs masqués! — n'a été balayée par la métamorphose, qu'au temps où celle-ci regarda les Vierges noires comme des œuvres d'art. Mais cette constatation en impose une autre. Depuis le début de notre siècle, le Musée Imaginaire a ressuscité des millénaires de sculpture, notamment celle du christianisme médiéval; quel poète, quel écrivain français, même de langue latine, avons-nous ressuscité? Pourquoi une Histoire pour spécialistes remplace-t-elle notre

20

passion des arts primitifs, lorsqu'il s'agit de la
littérature?

Alors que la Renaissance des Anciens semblait avoir accompagné si fidèlement celle des
antiques?

II

L'IMAGINAIRE DE VÉRITÉ

. Tenons-nous l'imaginaire pour un monde fictif dont changeraient seulement les programmes, où l'on jouerait *Fantômas* au lieu de *Cendrillon?* Pourtant, on n'a jamais cru à Fantômas comme à saint Pierre, ni à saint Pierre comme à Fantômas.

Les media peuplent notre imaginaire, et d'images changeantes. Sans doute celui du Moyen Age ne fut-il pas moins peuplé; sans doute nos images sont-elles présentes dans nos maisons, par le journal et la télé, alors que les images religieuses étaient rassemblées dans l'église. La plus éclatante fiction projetée sur le plus vaste cinémascope, comparée aux grands lieux de pèlerinage, aux cathédrales, devient enfantine, d'abord parce qu'elle est *un jeu.* La Fable n'a pas plus remplacé l'Histoire Sainte et la Légende Dorée, que les westerns n'ont remplacé la messe. Si Vénus a remplacé la Vierge dans l'illustration, la bibliothèque et le musée, rien n'a remplacé Marie dans la civilisation qu'elle couronnait. Supposer que Versailles succède à Notre-Dame de Chartres, satisfait les déterminismes — et leur permet d'oublier que du XIIIe au XVIIIe siècle, le chrétien a subi une mutation totale, son lien avec l'imaginaire ayant totalement changé. Le Moyen Age a cru au sien comme un vrai communiste croit au communisme; le XVIIIe siècle, comme les habitants des pays démocratiques croient à la démocratie : distraitement.

Le XIIIe siècle et le nôtre sont des siècles d'images, mais opposés. Il faut rejeter ce que nous connaissons du temps de Saint Louis pour imaginer comme un cinéma religieux, un monde où statues, images, vitraux, n'imitaient pas ce qu'ils représentaient, formaient le *seul* monde d'images, et le plus puissant moyen de communication avec le surnaturel, dans un lieu sacré où les mortels se succédaient devant l'invincible vitrail de l'éternité. Comme dans l'Inde où la pullulation des dieux interdisait de dresser des statues aux rois, l'important était l'invisible; les images ne figuraient que lui — ou ce qui s'y rapportait. Les deux clefs de l'Occident chrétien sont manifestement la cathédrale et le vitrail. Seules avec la liturgie qu'elles servaient, les images captaient la Vérité des grandes profondeurs, que la suite des jours ne tentait pas même de troubler.

" Les Lumières " mêleront cet imaginaire et le merveilleux, dans la superstition; mettront en balance le monde furtif des fées et les figures chargées des valeurs éternelles, dont l'imaginaire investit à la fois la vie et la mort. La paroisse a son saint, le baptisé a le sien, la cathédrale a la Vierge, la vie se développe de sacrement en sacrement. Nature et surnaturel forment une hiérarchie organique. Les images y figurent ce qu'on ne saurait voir. Le surnaturel ne se manifeste pas que par elles : nul n'ignore la liturgie, le miracle. Mais elles ne manifestent *que* le surnaturel, et d'abord sa piétaille d'intercesseurs : les saints locaux, à l'occasion, les morts. Le préjugé de l'imitation nous suggère un temps des cathédrales qui aurait connu les images religieuses *en plus* des autres. Quelles autres? Le sculpteur ne sculpte pas les moutons du village, mais de la Bible. Il y a la vie et l'éternité, le monde de Dieu et celui des mortels — le reste est poussière. Qu'est-ce que le peuple des images, sinon la présence de ce monde de Dieu? Par elles comme par leur imaginaire, le xiie, le xiiie siècle ne sont pas des Bretagnes à pardons, ce sont des Tibets.

Les cathédrales ne figurent les héros que par les saints militaires, saint Théodore, saint Maurice. La sculpture du siècle de l'héroïsme chevaleresque n'avait pas représenté un seul chevalier héroïque. Aux chrétiens qui ont écouté Rutebeuf psalmodier une *Herberie* ou un *Voyage*, comment le poète parlerait-il d'Alexandre? La légende sérieuse, ce sera la Légende Dorée, non le *Roman d'Alexandre*, bande dessinée du merveilleux. Les conquérants ne sont pas édifiants.

Et si les statues de la cathédrale n'accueillent le chevalier que sous la figure du saint, elles n'accueillent sous aucune figure l'imaginaire profane.

Gardons-nous du piège de *Tristan,* dont la gloire fait un symbole. La cathédrale ignorera Isolde autant qu'elle ignorera les héros de la Tétralogie. Lorsque nous les comparons au véritable imaginaire médiéval, nous n'en croyons pas notre lecture. Guerres picrocholines, mangonneaux, Sarrasins coupés en rondelles, arbre qui chante, enchanteurs, chevaliers changés en dragons, continuent les *Voyages au pays du Prestre-Jehan*. Penser à la fiction des compagnons de Saint Louis devant la cathédrale, c'est penser aux *Mille et Une Nuits* devant la mosquée de Lahore.

Son imaginaire nous déconcerte en tout. Le texte de Chrétien de Troyes rend plus sensible encore que la traduction, l'opacité de ces vitraux aveugles : deux dimensions, pas de lumière. Une féerie, moins ce qui permet à la féerie de traverser siècles et continents, une féerie réduite au merveilleux. Une poésie épique ou chevaleresque sans accent, qui nous rappelle qu'on l'entendait et ne la lisait pas, qu'on l'écrivait pour la psalmodie ou le chant. Le mot roman nous trompe; et plus encore, l'histoire de la littérature, qui parle sans rire de *La Table ronde* comme s'il s'agissait d'un état primitif de *La Comédie humaine*. Romans pour renards, matériel familier puisque c'est celui du conte et de la légende, dont il a la séduction. Il la perd seulement lorsque l'imaginaire-de-Vérité entre en jeu, parce qu'en face du moindre saint, les chevaliers, nécromants, géants et enchanteurs, forment un peuple de cartes à jouer. Tiendrons-nous pour une littérature, leur piétinement ensorcelé, auprès de *La Divine Comédie?* Mais on ne trouvait pas, en Toscane, de sculpteurs chartrains...

Il sourd toutefois de cet imaginaire, une pénétrante chanson d'aveugle dans la pluie du temps, villanelle qui doit plus aux sortilèges qu'aux prouesses. Pendant deux cents ans, aventures et héros, même Gauvain, Tristan, Lancelot, Perceval, passent comme des ombres d'Opéra sur le chœur nostalgique et profond dont les cloches d'Ys et l'arbre-qui-chante apportent la rumeur : pays secret où l'on est retenu-par-l'amour-d'une-dame-inconnue, pays d'Avalon d'où l'on ne revient pas, isle-mystérieuse, isle-tournoyante, château de Pire-Aventure, fontaines magiques, capitale des Sarrasins, landes... Leurs souverains plus irréels qu'Artur : roi-pêcheur, roi d'Escavalon. Et leur peuple : Demoiselle-aux-petites-manches, nains et faux lépreux, semi-héros un peu louchons ou bigles... Un géant collectionne les barbes de rois, un enchanteur se distrait en alignant des menhirs...

Chevaux cornus, guivres lumineuses inclinées avec humilité, chevalier qui, au passage d'un fou, entrevoit son ami disparu... Demi-ténèbres hantées : les haches portées seulement par des chevaux noirs menacent le chevalier vainqueur comme des couperets, et dans un autre palais vide, une voix réclame au roi Artur vaincu l'épée royale, l'épée qu'un bras lui tendit jadis hors d'un lac, au pays des fées, quand tombaient les fleurs des pommiers. « Le séjour dans la tour secrète — Et le printemps dans le verger... » Le merveilleux est musique, dit-on alors. Mais quelle musique rivaliserait avec Pâques, avec le Golgotha? Aussi le mystère se réfère-t-il à la Grâce, le héros perdu dans la forêt de Brocéliande y découvre quelque ermite sauveur, la cohue des prouesses et des merveilles de la chevalerie s'achève dans la procession du Graal.

Ces histoires fabuleuses, le poète les rédige, se défend de les inventer : il les a trouvées dans quelque monastère réel ou supposé. On " raconte " Perceval comme on raconte Peau-d'Ane. Et ces histoires n'ont rien pour surprendre : elles se sont maintenues fort tard à l'usage des enfants. Le surprenant est que naisse, entre Lancelot et saint Georges, entre Peau-d'Ane et la Vierge, un personnage qui devient l'agent de son histoire. Depuis des siècles, nous croyons les personnages antérieurs aux histoires, parce que nous croyons que ce sont *leurs* histoires. Mais lorsqu'on demandait à un enfant : « Veux-tu l'histoire de Peau-d'Ane, ou celle du Chaperon rouge? » il ne s'agissait pas de la biographie de ces demoiselles, mais de l'histoire avec-le-prince-charmant, de l'histoire avec-le-loup. Le changement du potiron en carrosse est antérieur aux biographies de potirons; l'héroïne de Peau-d'Ane comme de Cendrillon, c'est la fée. Le conteur des *Mille et Une Nuits* dans les cafés arabes, il y a cinquante ans, répétait ou réinventait l'histoire d'Ali Baba, sans pourtant la mélanger avec celle de Sinbad. Malgré leur brève grandeur, celle de la mort du roi Artur par exemple, nos preux et nos chevaliers sont des personnages des *Mille et Une Nuits*. Nous parlons d'eux comme s'ils étaient indépendants du Christ à l'égal de ceux de Shakespeare. Mais leur imaginaire-de-Merveille ne rivalise nullement avec l'imaginaire-de-Vérité sous lequel il joue. Comment l'art qui les crée semblerait-il adulte? Ils sont amputés de l'âme, comme si l'âme des rêves chrétiens n'avait droit qu'à la cathédrale.

Le monde des aèdes et des conteurs n'est pas proprement littéraire; celui des couvents, pas davantage. Les monastères, dit-on, transmirent, de façon continue, la littérature ancienne. Ils l'ont transmise comme la comédie de la cour carolingienne transmit Rome. Les musiciens errants psalmodiaient la Légende Dorée, l'histoire de Roland, de Tristan ou du Prêtre Jean, sur un fond de conte sans âge; les Pères de l'Église hantaient le monastère, non les contes. Une vie spirituelle intense, ordonnée par la liturgie, créait un monde où un nouveau Père rejoignait les autres et les Testaments comme, pour nous, Baudelaire rejoint Racine et la poésie. Ce monde s'écarte de la littérature par sa spiritualité même. Peu importe que l'on ait recopié Virgile : le monde dans lequel Virgile existe, n'existait pas. Ce que nous appelons la connaissance de l'homme, non plus. L'expérience humaine était celle de la confession — pour qui confessait. Des dieux antiques dont ils connurent les noms, les siècles médiévaux faisaient des planètes. Quelle histoire rivaliserait avec l'Histoire Sainte? La fiction figure à peine.

Quelques auteurs anciens. Tout cela, marginal. Pour l'essentiel, la bibliothèque, elle aussi, est tibétaine.

Les couvents n'ignoraient pas les Anciens? Les peintres d'icônes byzantins n'ignoraient pas les antiques, puisque les plus célèbres ornaient l'hippodrome; nos peintres du xviiie siècle n'ignoraient pas les statues gothiques, devant lesquelles ils passaient chaque jour. Ils ne les voyaient pas. Puis, ils les ont vues. L'énigme est la même en littérature, et c'est pourquoi l'imprimerie ne suffit pas à la résoudre.

Ni la résurrection, assez lente, des auteurs anciens. L'Italie du xvie siècle a réellement vu dans les antiques — les pires, les statues romano-hellénistiques dont regorgeait le sol de Rome — des œuvres magistrales; mais si nous en jugeons par les citations, étendues et significatives, de Montaigne, ou par la Florence de la fin du xve, le sentiment principal qu'éprouve l'homme cultivé (différent en cela de l'artiste) devant les Anciens qu'il découvre, est moins l'admiration que l'étonnement.

Un autre génie nous impose quelquefois cet

étonnement-là, de façon moins souveraine et plus brutale : Shakespeare. En arrachant le rideau, tel personnage, Hamlet par exemple, dévoile ce que nous savons parfaitement, mais qui devient objet de révélation. Car nous n'ignorions pas qu'Yorick fut mortel. Sentiment bouleversant mais non inexplicable; qu'est la pensée des grandes religions, sinon l'élucidation, l'analyse, le développement d'une Révélation? Et comment le bouddhisme eût-il exercé son action vertigineuse, si ceux à qui il s'adressait n'avaient reconnu (non découvert) la clef du caractère absurde et infernal du monde, dans le désir? L'accent shakespearien de Socrate serait criant, sans cette bonhomie narquoise aussi soigneusement plaquée sur son génie que l'est quelquefois la folie sur celui des fous de Shakespeare; sans l'impossibilité de transformer un seul dialogue de Platon en tragédie ou en drame. Socrate fait de Shakespeare un génie traqué. Mais sommes-nous assurés que l'étonnement absolu ne pénètre pas aussi profond que celui qui découvre « un monde fait de bruit et de fureur, et ne signifiant rien! ». Il en conclut seulement qu'il faut apprendre à jouer de la lyre avant de mourir.

Il y a de l'ethnologue dans tout lecteur de la Renaissance — de l'ethnologue qui découvrirait une civilisation égale à la sienne. S'il nous faut faire effort pour retrouver l'intensité de ce qui le déconcerte, c'est que la pluralité des civilisations nous est familière. Elle ne l'était à personne. Lire déconcertait d'autant plus le lecteur, que ces Hommes Illustres selon Plutarque, ces Sages selon leurs contemporains et même la tradition, avaient été païens, étaient sans doute damnés.

Virgile n'est pas damné pour Dante. La relation du chrétien avec le paganisme antique ne cessera pas d'être complexe, l'est déjà. La religion n'en deviendra pas moins, relative. C'est l'une des métamorphoses majeures de l'humanité. Elle ne détruit pas nécessairement la foi, mais en bouleverse l'imaginaire. J'ai dit que Luther eût beaucoup surpris Saint Louis; Pascal aussi.

Un chrétien peut lire Platon et demeurer chrétien; mais non demeurer le semblable d'un chrétien qui étudiait la *Somme* et ignorait Socrate. De même que l'imaginaire de la Fable, servi par l'art, croissait sous l'imaginaire religieux, de même, *des valeurs,* principalement transmises par l'écrit, apparaissaient en marge de la religion. Le xviie siècle tentera de les y faire entrer, mais jamais ne reparaîtront les siècles où l'imaginaire avait été Vérité, et la foi, Évidence. Nous nous étonnons que la décomposition de l'Ordre gothique ait apporté à la fois Luther, le Héros et les nymphes. C'est que, consciemment devant Luther, inconsciemment devant Platon, le chrétien devenait juge de sa religion. La révolution n'est pas que la responsabilité personnelle du protestant ait fondé l'individualisme moderne — ni que Luther ait ranimé l'angoisse augustinienne. C'est que le monde chrétien soit devenu un monde parmi d'autres; que l'imaginaire-de-Vérité se soit effacé.

Le mot Réforme l'exprime particulièrement mal, surtout si l'on pense à ce qu'en feront le siècle des Lumières, puis le xixe. La chrétienté, pervertie par la superstition, obscurcie par les ténèbres, aurait été *rétablie* dans les pays protestants, *continuée* dans les pays catholiques après le Concile de Trente; l'évolution économique, les inventions et découvertes, les réformes

34

liturgiques intervenant à l'occasion... Mais on ne postule cette continuité que pour inventer une frontière. Luther n'affronta pas la cathédrale, mais Saint-Pierre de Rome; pourtant, si nous opposons la conception luthérienne du monde à celle de Saint Louis, nous voyons que même si l'Église n'avait jamais vendu une seule indulgence, la nature du chrétien eût été mise en jeu, parce qu'on ne peut séparer l'imaginaire-de-Vérité, de la foi de Saint Louis : *il en est la forme.* Or, pour Saint Louis, l'image de Vérité était d'abord Vérité; pour Luther, d'abord Imaginaire. Et pour le roi de France, l'imaginaire chrétien n'avait pas à se légitimer. Alors que celui de la Rome pontificale, s'il faisait hurler Luther au mensonge, n'eût pas été tenu pour Vérité par Saint Louis, ne l'était pas par Raphaël. Tout imaginaire de beauté est imaginaire de fiction.

Supposer que nos cathédrales, de Philippe Auguste à Philippe le Bel, aient d'abord attendu de leurs statues, un enseignement, ne rend compte ni de leur style, ni de leur nature. Le gothique, le roman, ne sont pas spécifiquement démonstratifs. L'Église parlait beaucoup; mais nombre de figures étaient inaccessibles au regard, leur symbolique était bien savante... Le texte fameux sur le monde des images, Bible des illettrés, deviendra beaucoup plus pertinent avec l'illusionnisme. Ceux qui s'y réfèrent n'y voient point malice : on dessinait ainsi les figures de Chartres, parce qu'on n'avait malheureusement pas découvert Saint-Sulpice, ou Raphaël. Nous savons, nous, que les figures de Saint-Sulpice n'appartiennent qu'au monde des hommes, et que la cathédrale fut un monde de Dieu.

Depuis que nous avons cessé de tenir les Rois de Chartres pour les portraits maladroits de quelconques seigneurs, ces statues, n'évoquant plus de modèles, évoquent d'autres sculptures. Pourquoi notre gêne à les introduire au musée comme des antiques ou des statues romaines? Pourquoi la section médiévale au Louvre, le musée des Cloîtres à New York? Van Eyck, Fouquet, font-ils chambre à part? Mais ni l'un ni l'autre n'ont fait corps avec la cathédrale...

Elle apportait à sa statuaire, ce qu'apporte le fond d'or aux personnages des icônes et des mosaïques byzantines : une participation à l'inaccessible. Dans maintes Crucifixions de primitifs flamands, l'intérieur de la cathédrale succède au fond d'or. Le peintre ne croyait pas que Jésus eût été crucifié dans une église, mais quel lieu profane eût été digne de la scène sacrée entre toutes? L'église seule; donc, il la peignait. Cette " aura " émanait des murs sanctifiés : on sculptait les porches, on représentait les mistères sur le parvis.

A Fez, à Chiraz naguère, à Delhi, la cour sacrée où se réunissent les Croyants, au sortir d'une ville de ruelles qui ne renferme pas de véritables places, semble étrangère à tout lieu terrestre : l'Islam, le ciel. L'immensité des champs est plus vaste, mais sans bornes; les murs limitent la cour. Au xiiie siècle, la nef de Notre-Dame s'élevait plus haut que la plus haute salle, dépassait en largeur la plus large rue de Paris. Néanmoins close de voûtes, non ouverte au ciel. Et les orgues, et les vitraux, et le peuple fidèle, et le vide : les chaises entreront tard. Le vitrail de Chartres : *Notre-Dame de la Belle Verrière,* appartient plus manifestement au monde de Dieu, que les statues de Versailles n'appartiennent à celui de Louis XIV.

Mais deux siècles plus tard, l'architecture de l'âme qu'avaient proclamée toutes ces Notre-Dame, aura disparu. Ce que nous appelons la sensibilité religieuse, et qui fut la religion tout court, aura subi deux révolutions.

D'abord, la lente victoire de la piété privée sur la piété liturgique, celle des chrétiens age-nouillés, immobiles, silencieux, solitaires s'ils le voulaient, sur la prière chantée en chœur, clamée, marchée à travers le déambulatoire des églises romanes. Pourtant, église signifiait tou-jours : assemblée. Les chrétiens avaient si long-temps rêvé en commun!... Le rêve profane n'or-donnait pas la vie; mais la fête religieuse ou profane (les deux sans doute), Pâques et Mardi gras avaient assouvi l'imaginaire des foules analphabètes, scandant, de longs rythmes oppo-sés, Carême et Carnaval. Au xive siècle, la gracieuse Vierge d'ivoire, que l'on possède, a définitivement écarté la Majesté barbare des processions et des pèlerinages, que l'on suivait.

On ne construira plus de cathédrales.

La chrétienté perd insensiblement l'ordre qu'elles symbolisaient. Dans les arts plastiques comme dans la poésie, le gothique international devient décor. Jusqu'au temps où la seconde révolution découvre à la fois les Anciens et les antiques, l'homme réconcilié de Nicolas de Cuse, qui est le Christ, et l'homme à jamais souillé sans la Grâce, dont Luther est possédé. Époque intelligible quand nous l'appelons Renaissance *ou* Réforme.

Mais lorsque nous cessons de concevoir le protestantisme seulement comme une guerre d'Indépendance contre la Rome pontificale, nous le voyons écarter les mêmes Vierges gothiques, que dédaignent les Vénus ressuscitées.

Si la fiction succède à l'imaginaire-de-Vérité, elle ne le remplace pas plus qu'une philosophie ne remplace une religion. La chrétienté s'est métamorphosée lorsque le chrétien a cessé de tenir son rêve religieux pour Vérité suprême. Ce que le xixe siècle appelle l'art est né alors. Mais la guerre de succession durera longtemps.

Luther avait entendu de la musique admirable, et Monteverdi écrira jusqu'en 1643. Le christianisme des images dissipé par celui de la Parole, le successeur de la fresque ou du porche sculpté devrait être l'orgue. Mais le destin est plus complexe que sa logique.

Sans doute Luther n'eût-il pas éprouvé, devant les vitraux de Chartres ou de la Sainte-Chapelle, l'indignation que Rome lui inspira;

ni même devant le retable d'Issenheim, que Grünewald peignit pendant qu'on peignait les *Chambres* du Vatican. Les vitraux donnés par Blanche de Castille, ceux que Saint Louis commanda pour la Sainte-Chapelle, n'imitaient ni vivants ni morts. Ils étaient des signes émotifs chrétiens, et un signe n'est pas objet de superstition, ni d'idolâtrie. Il peut apporter un moyen de communion; mais dans l'imaginaire-de-Vérité, non dans celui de la fiction. Ce dernier, rendant ses prédécesseurs caducs au lieu de les rendre vénérables, leur retirait l'éternité. Les imprécations de Luther flétrissent beaucoup plus qu'un luxe, qu'une esthétique : elles proclament que l'imaginaire-de-Vérité a cessé d'exister.

Le génie de quelques grands écrivains nous mène à lier la décomposition du monde gothique à une découverte du scepticisme, tenue pour une libération. Mais la décomposition qui appelle Montaigne appelait aussi Luther. Si la chrétienté devait renoncer à l'imaginaire-de-Vérité, aux figures qui l'avaient manifesté, à la présence du saint dans sa statue, les remplacerait-elle par les loisirs de la bibliothèque? Si les figures, secrètement, incarnaient aussi la part divine de l'homme, si le peuple des saints de bois était un peuple d'intercession et de communion, le songe inépuisable des images ne se dissiperait que devant la Parole sacrée. En appliquant son génie d'écrivain à traduire la Bible, Luther suit une logique de destin.

Les images ne mourront pas. Les Anglais feront venir leurs peintres, du Continent; les Allemands, d'Autriche. En outre — l'iconoclasme byzantin nous l'avait enseigné — nous comprenons assez bien pourquoi on chasse les tableaux, mal pourquoi ils reviennent, et à peine comment. En renonçant à la Vérité, en s'assumant comme Fable, la peinture va d'abord trouver, de Michel-Ange à Rembrandt en passant par Titien, son plus éclatant génie poétique. A Michel-Ange qui ressuscite le héros et à Titien qui ressuscite Vénus, quel poète égaler? Mais l'année de la mort de Michel-Ange naîtra Shakespeare, et la peinture, après Rembrandt, ne redeviendra plus le refuge royal du poème.

Ce n'est d'ailleurs ni la poésie lyrique, ni le livre, qui accèdent à la gloire de la peinture : c'est le théâtre. Le seul lieu de ce temps où tout soit faux nous rappelle qu'à la cathédrale, tout était vrai. On avait interdit la représentation des mistères sur les parvis au milieu du xvıᵉ siècle — et le mistère n'avait pas été un style particulier de théâtre, mais le contraire de la fiction. Dans un lieu sacré par sa nature, son âme, son décor, le prêtre avait célébré par la messe le plus haut Sacrifice, indéfiniment revécu, inséré dans toute vie bien que différent d'elle, sommet des commémorations qui rythmaient l'année. Dans un lieu voué par sa fonction à l'imaginaire, des acteurs représentent des drames ou des comédies, tôt remplacés, séparés de la vie à l'égal du rêve ou du sommeil, et jugés par leur public. De l'Incarnation, de la cérémonie où tout était suprêmement vrai, l'Europe (car il ne s'agit plus de la même chrétienté) est venue à la fiction incarnée : le théâtre.

III

RÉSURRECTIONS

Le Quattrocento, le xvie siècle français ne res-
suscitent pas Athènes, mais Alexandrie, Rome,
l'antiquité luxueuse, colossale, qui jugeait le
Parthénon petit, et où la lecture tenait encore
une faible place. La littérature avait pourtant
subi une première métamorphose.

L'admiration de *L'Orestie* par un Alexandrin
fait penser à celle d'une statue gothique par un
Américain, dans un musée des États-Unis. La
tragédie, amputée de la cité, entrait dans la
littérature, que la civilisation hellénistique
inventait. Alexandrie allait posséder la plus
riche bibliothèque, alors que Platon avait flétri
l'écriture. Quoi de commun, sauf la langue
grecque, entre Théocrite et Sophocle qui avait
reçu, en récompense d'*Antigone*, un comman-
dement militaire, Eschyle qui avait écrit *Les
Perses?* La frontière entre Athènes et Alexan-

drie semblait indistincte, parce qu'Euripide appartenait encore à la cité, mais aussi à ce qui lui succédait; Racine ne s'inspirera pas d'Eschyle, et Sénèque reprendra la première *Phèdre,* que les Grecs n'avaient pas supportée. Même en ressuscitant *Antigone,* l'Italie eût ressuscité une forme, comme lorsqu'elle ressuscitait une statue d'Aphrodite.

Un sculpteur romain ou hellénistique avait sculpté une déesse. En laquelle il croyait plus ou moins, mais qui ne se confondait pas pour lui avec la statue d'une mortelle. Quinze cents ans plus tard, le sculpteur chrétien de Florence ou de Rome qui la retrouverait dans la terre, ne lui accordait aucun caractère sacré; mais pour lui non plus, elle ne représentait pas une mortelle. En cette forme née de la divinité, il trouvait l'intercesseur de son propre accomplissement — la divinisation transformée en technique. Et le sculpteur florentin pouvait s'appeler Michel-Ange.

Dans les lettres, il n'y a pas de Michel-Ange. Ni en philosophie, mais on sait comment le christianisme offrit l'hospitalité à celles de la Grèce; il avait réellement connu Aristote. Le dialogue décisif ne fut pas esthétique, mais moral : la grandeur allait devenir rivale de la sainteté.

La Renaissance ne s'est pas ajoutée au Moyen Age comme ses œuvres succèdent aux œuvres médiévales dans les musées. Il y a, certes, du jeu de cartes colossal dans Rabelais, mais Rabelais emploie les mots à autre chose qu'à raconter. La mutation n'est jamais si visible que lorsqu'elle touche l'antiquité. J'ai dit qu'Alexandre, dans le roman qui porte son nom, n'était pas édifiant, n'atteignait qu'à la merveille. Donc, pas exemplaire. Quand on connaîtra Plutarque, on dira : admirable; l'admirable n'avait pas encore cours. L'exemplarité ne pouvait prendre d'autre forme que la sainteté. Le monde était vrai (c'est-à-dire religieux, y compris le dragon de saint Georges et les diables) ou faux, c'est-à-dire merveilleux. Les Hommes Illustres, les dieux olympiens, devenaient fantastiques comme ils devenaient planètes ou signes zodiacaux. Une œuvre ne pénètre que dans les salles du cerveau préparées pour l'accueillir. Ce que connaissent bien les missionnaires, dont l'obstacle majeur, lorsqu'ils tentent de transmettre l'Évangile, est de faire comprendre qu'ils racontent une histoire vraie : pour leurs auditeurs, un tel récit appartient au fantastique par sa nature même. Comment imaginer l'histoire de César, contée à des auditeurs africains pour qui elle n'aurait aucune *valeur?* Les Hommes Illustres de Plutarque sont des hommes exemplaires dont l'exemplarité ne vient pas du Christ. Or, toute exemplarité venait de lui.

Les plus riches provinces du passé ou de l'imaginaire, devenues sources d'exaltation — Sparte, Athènes — appartiennent à la culture qui les a élues, disparaissent ou se métamorphosent avec elle. Brutus a enivré Michel-Ange, et nos Révolutionnaires. Les soldats de l'an II, la Révolution elle-même, appartiennent, pour la plupart des Français, à cet imaginaire, qui exige deux croyances simultanées : en la réalité, et en ce qui ne se limite pas à elle. Comme il apparaît lorsque nous dissocions le mythe de Napoléon. La Légende Dorée a besoin du merveilleux, mais ce merveilleux est vrai comme les diables, que voient souvent les sorcières.

Jusque-là, l'imaginaire religieux, seul, s'était prévalu de cette vérité. La légende, le conte,

" les romans ", tout cela peuplait le merveilleux, donc le jeu. Même Perceval. Mais l'histoire romaine, elle aussi, se réclame de la vérité : histoire qui ne se limite ni à la succession des faits ni à la chronique, et qui échappe au merveilleux. A l'exception des saints et des prophètes, il n'y avait pas plus de grands hommes dans la mémoire des chrétiens que de chevaliers aux porches des cathédrales. Le temps où l'imaginaire-de-Vérité s'affaiblit assez pour que l'on acceptât une grandeur comparable à celle du saint, indépendante de Dieu, fut un moment décisif de la métamorphose du rêve — entre *Le Chat botté* et le cinéma...

Ce nouvel imaginaire n'est pas un monde de l'art, de la littérature, mais il les englobe : sans Plutarque, peut-être pas de Michel-Ange; certainement pas de Corneille... Le classicisme français finira par la victoire de l'Histoire Ancienne sur l'Histoire Sainte, malgré *Athalie*.

Elles se ressemblent plus qu'on ne croit; beaucoup plus qu'à la tentative de rendre intelligible l'aventure de l'humanité, que nous appelons histoire. La Légende Dorée ne cesse de diminuer, Rome de grandir. L'Histoire Ancienne se noue à l'exemplaire plutôt qu'à l'historique. Et un concept nouveau s'est formé, qui eût sans doute indigné Henri le Saint, saint Étienne, Saint Louis. Pour les rois saints, les Romains étaient d'abord des païens; pour Laurent le Magnifique, des Anciens.

On avait maintes fois joué à l'antiquité, depuis Charlemagne jusqu'au Téméraire. Le Saint Empire s'appelait Romain. Souvent Rome avait été absorbée par le merveilleux, mais *L'École d'Athènes* n'est plus un jeu. L'histoire romaine fonde l'histoire : les empires d'Orient n'en avaient que par rapport à la Bible. Plus que les rois vivants, les souverains étaient les Rois d'Israël, deviennent les empereurs romains. La chrétienté élit Athènes à travers Rome. Elle en prendra si bien l'habitude, que ce passé semblera aller de soi. Il lui vient cependant de Plutarque.

Plutarque n'est pas significatif en ce qu'il apporte César, mais en ce que César, Alexandre, n'y figurent pas des *preux*. Son César est historique, mais qu'était un personnage historique au xiiie siècle? Saint Georges, Merlin? Il fallait que l'imaginaire-de-Vérité ait prodigieusement changé, pour que naquît un personnage proposé à l'admiration pour des pensées et des actes étrangers au Christ. Peu importe que l'on interprète autrement que Plutarque, les personnages plutarquiens. Son interprétation n'implique pas plus de talent que celle de Joinville, elle postule un autre caractère. Il apporte, en bloc, l'antiquité mythique. La chevalerie ne propose plus qu'un imaginaire adolescent et fabuleux, l'Arioste et non les compagnons du Roi Artur. Plutarque sera chez lui dans *L'École d'Athènes* parce que l'ordonnance fermée qu'avait symbolisée la cathédrale n'existera plus. Un païen exemplaire n'est pas un hérétique.

Une Vénus séparée de sa divinité pouvait, à la rigueur, renaître en Vierge de Raphaël. Mais de quoi Plutarque était-il séparé? Du caractère autonome et souverain de l'antiquité. Elle n'avait pas été antique pour elle-même. Les valeurs qu'exprimait l'historien comme des évidences, devenaient des propositions au christianisme, des hypothèses, des questions : c'est alors que l'on se demande s'il faut encore damner Marc Aurèle. La Vénus exhumée avait perdu sa divinité, non ce que Rome et Florence appelaient sa beauté; de même, les héros de Plutarque n'avaient pas tout perdu de leur exemplarité. Un chrétien de naguère les eût jugés presque tous impudents, expédiés en enfer séance tenante. En quoi Auguste ou Brutus eût-il édifié saint François? Mais appeler beauté les formes de la Vénus des Médicis, en tant que formes d'une statue et non imitation de celles d'une jolie femme, était concevoir un monde de la beauté, où la Vénus rencontrait des images de Raphaël et de Giorgione — monde disparu depuis plus de mille ans. Si le chrétien traitait Plutarque comme Savonarole avait traité les Vénus de Botticelli, il le brûlait ou le dédaignait; mais s'il devenait sensible au trouble reflet qui parait les grands hommes dans le nouveau christianisme, le concept même de l'Homme entrait en jeu. Peut-on admirer des héros sans âme? des Vénus païennes? Malheureusement (ou heureusement), on les admirait. Alors naissait un monde de l'admiration, qui avait, lui aussi, disparu depuis plus de mille ans — et que l'on soumettait au Christ.

Mais le *sentiment* dont nous connaissons surtout la forme idéologique que lui donna Nicolas de Cuse : « Le Christ est l'Homme réconcilié », ne fut-il pas une des pulsations spirituelles qui tantôt prennent la forme d'une doctrine (le protestantisme, l'amidisme), tantôt mènent à la création d'un ordre religieux (cisterciens, franciscains), et tantôt jouent leur rôle immense sans en tracer les frontières? Dans la Chambre de la Signature, entre *La Dispute du Saint-Sacrement* et *L'École d'Athènes,* comment ne pas éprouver, à la veille pourtant de la Réforme, qu'un Ordre inconnu, peut-être aussi vaste que l'Église elle-même, prêche la Réconciliation? Au Concile, Nicolas de Cuse avait tenu grand-place. Mais ce temps que le xixe siècle croira non seulement réconcilié, mais encore délivré, devient vite ambigu. Nous comprenons plus facilement Saint Louis, qu'Alexandre Borgia, et même que la religion de Montaigne; ou celle qui permet à la reine de Navarre de délaisser un conte galant imité du *Décaméron,* pour commencer un poème inspiré d'un psaume; de quitter sa Bible pour sa bibliothèque grivoise... Il reste que le Christ de Raphaël succède à la Pietà dans beaucoup de cœurs chrétiens comme dans les fresques du Vatican.

En ce temps, le mot beauté, comme les mots amour, Dieu, mort, prend sa force dans les sens qu'il superpose; grâce à lui, les académiques de tous arts se réclament de Platon, et l'Idée platonicienne s'attache à un style particulier. Originellement, celui du divin grec : et, jusqu'au romantisme, aux formes qui se réclamaient de l'idéalisation. Les portraits des infantes par Vélasquez, envoyés à la Cour de Vienne en vue d'éventuelles fiançailles, ont été sauvés pour cause de laideur — laideur de la peinture, plus encore que des modèles : on les relégua aux greniers. La beauté agit sur les arts à la façon d'une doctrine totalitaire, puisque ce qui ne la possédait pas devenait, par là même, mineur. Chardin n'aura jamais conscience de son génie; Diderot aura-t-il conscience du sien? Grand esprit sans doute, et " philosophe "; mais Racine aura pour successeur, le Voltaire des tragédies. Cette esthétique hiérarchique impose d'abord la hiérarchie des genres. Et dans le genre profane le plus élevé, entre Plutarque et Shakespeare ou Corneille, il n'y a rien.

Quand les œuvres littéraires des Anciens, les statues antiques, s'imposèrent-elles comme modèles, ou quand répondirent-elles à l'appel de la Florence médicéenne, de la Rome pontificale? La supériorité des Anciens n'est guère contestée au XVIe siècle. Mais l'action de ce qui va devenir une valeur suprême est celle d'une beauté *codifiée*. La résurrection des formes, des idées, nous y semble souvent l'objet d'une préférence, presque d'un libre choix. Néanmoins, quand Michel-Ange dit à François de Hollande : « On ne peint chez vous que pour tromper la vue! », il ne choisit pas une fonction de l'art parmi d'autres. Le grand art est irréfutablement beauté. Non en raison des théories qui la défendent, mais d'une découverte dont l'Occident ne retrouvera l'ampleur, que lorsqu'il découvrira l'art mondial : car la beauté qu'exalte cette Italie, est, pour elle, le style de l'immortalité.

Ces deux mots ont pris une telle place, que nous oublions les temps où ils en tinrent si peu. Plutôt qu'un concept, la Renaissance découvre le domaine où se rejoignent les formes de l'admiration; un portrait de femme peut être beau, son modèle aussi; quand ce modèle est imaginaire, il le doit. C'est ce domaine, non un style (en France, celui de Fontainebleau), qui va transformer le goût, en lui imposant une hiérarchie. On appelait beau ce qui plaisait. Rapprochons l'*Agnès Sorel* de Fouquet, Vierge sur son fond d'anges tricolores, de *La Joconde*. En spiritualisant la première, Fouquet la change peu; la spiritualisation est une opération secrète. Le temps de la spiritualité, c'est-à-dire de l'imaginaire-de-Vérité, n'avait pas spiritualisé le portrait, qui naît au xve siècle : il l'avait ignoré ou interdit, sauf pour les gisants. En idéalisant Monna Lisa, Léonard la fait accéder à un monde aussi étranger à la rue qu'à l'église, et dont les arts sont les agents privilégiés. On a dit pendant quatre cents ans : la différence entre les deux effigies est celle qui sépare le talent de Léonard, de celui de Fouquet. Mais Agnès Sorel se réfère aux autres vivantes, un peu aux tableaux religieux, puisque Fouquet l'a figurée en Vierge; Monna Lisa se réfère aux tableaux de Léonard, à un monde étranger aux vivantes et à la Vierge, parent de la poésie, du chant et des statues antiques, accordé à notre imaginaire. Ce monde du beau est lui-même un imaginaire − qui rassemblera les arts dans une même réponse à des aspirations vers Dieu peut-être, certainement pas vers un crucifix. Et qui n'atteint au plus haut que par l'art. C'est alors que la beauté des femmes devient à la fois énigmatique et souveraine. On admire moins *La Joconde* parce qu'elle ressemble à Monna Lisa, que Monna

54

Lisa, parce qu'elle ressemble à *La Joconde*.
Le public du dimanche, au Louvre, les juge
toutes deux bien surfaites. On a comparé tard
la beauté des vivantes à celle des tableaux et
des statues. La convention a tellement banalisé
le style alexandrin, la technique de l'idéalisation a été si longtemps pratiquée, que nous
regardons comme des photos les Vénus qui
éblouirent le xvie siècle. Il nous faut faire
effort pour *voir* que l'accent de l'antique est
aussi caractérisé que celui du style égyptien.
Surtout dans les images des déesses, car les
portraits romains, dits réalistes, lui sont étrangers. Le Quattrocento ne liait pas la beauté
féminine au profil traditionnel des médailles,
des statues; la *Vénus* de Botticelli ne leur doit
rien; les figures de Léonard, guère. Le « profil
grec » n'est pas plus répandu parmi les tableaux
d'alors, que parmi les photos de nos stars.
Sans doute la convention sera-t-elle fixée par
les figures antiques de Raphaël.
   La résurrection des antiques fut plus trouble
qu'on ne l'a cru. Il y a du fantôme dans ces
ressuscitées. On les admire. Elles vont effacer
les formes gothiques, mais par ce qu'en feront
les vivants, car l'immense alléluia de la Renais-

sance est poussé devant un peuple aveugle : les antiques n'ont ni âme ni regard. Les sculpteurs chrétiens n'entendent pas renoncer à l'âme. Pour la perdre, il leur faudra deux cents ans. Ils échappent au syncrétisme par le génie — et par le caractère magique des statues, que nous étudions peu, parce qu'elles l'ont perdu.

Négligeons les bas-reliefs des colonnes, des arcs de triomphe; on ne découvre pas, à Rome, ce qu'on y regardait la veille avec indifférence, comme nous découvrirons la sculpture gothique. On découvre les statues exhumées. La plupart avaient orné les jardins de la ville impériale (qui en regorgeait), disparu avec elle : jamais le Téméraire, contemporain de Laurent le Magnifique, ne vit une statue dressée au centre d'une place. Sommairement, le xixᵉ siècle dira : la Renaissance découvre que les Anciens représentaient mieux les gens. Mais le sculpteur, même s'il regarde l'antique comme un style, ne le limite pas à un moyen de représentation. La statue chrétienne reste magiquement liée au sanctuaire, au campanile : à peine Donatello ose-t-il en détacher (et si peu), son *Gattamelata* équestre. Verrocchio exige, pour son condottiere, la place Saint-Marc :

Venise le lui promet, mais ne tiendra pas sa promesse. Pourtant le sculpteur donne à la trogne benoîte du Colleoni le masque d'un dieu de la guerre. Une pullulation de Davids va surgir, et David est un combattant. Michel-Ange détache la statue du sanctuaire, et dresse, sur fond de ciel, la résurrection du héros.

Que l'on interdise la représentation des mistères au temps où l'on élève la plus célèbre basilique de la chrétienté, Saint-Pierre de Rome (qui n'est pas dédiée à la Vierge...) fait pourtant rêver. Le Vatican symbolise ce qui succède à la chrétienté des cathédrales, aussi cohérente que la Grèce des cités. La Chambre de la Signature proclame la métamorphose d'un monde plus vaste que celui de l'art, que celui de la littérature, car il les englobe : l'imaginaire chrétien.

Quand Bayard adoube François Ier, Tristan et Perceval sont morts. L'imaginaire des foules chrétiennes tombe en poudre, Don Quichotte y effacera le roi Artur. La vulgarisation du rêve s'arrête devant Vénus comme devant Ronsard. Dans le domaine circonscrit auquel l'imprimerie permet de se constituer, l'imaginaire olympien, agreste et monarchique, chasse l'imaginaire courtois, dont le colportage distribue des vestiges aussi arbitraires que nos romans policiers. Mais les rinceaux et les thyrses deviendront architecture, se fondront dans les arts majeurs...

Pensons à Michel-Ange devant ses premières antiques, à Montaigne entouré de ses livres. Le sentiment gothique est étranger à Michel-Ange, à tel point que, comme les artistes des Lumières, il n'en *voit* plus l'expression, la confond donc avec la maladresse. Alors, l'histoire de la chrétienté devient celle d'un long apprentissage. Avant le Christ, aurait existé un monde confus qui devient exaltant, un empire plus puissant que les empires chrétiens, une Rome éternelle auprès de laquelle la Rome pontificale fait figure de village. Les formes familières aux artistes païens sont celles dont Michel-Ange a besoin. Non qu'il cherche dans les Vénus exhumées un modèle de *La Nuit.* Il sait qu'il imposera à l'antique, l'âme, que l'antique ignore. Il regarde avec avidité le *Torse* comme il regarde son bloc de marbre : pour ce qu'il en fera. Mais le *Torse*, la Vénus sont là. Pas tout à fait un homme, une femme : des divinités, c'est-à-dire des statues. Toutes les statues exhumées lui présentent les formes que frôle enfin le tâtonnement de la sculpture chrétienne. Imaginons-nous nos fouilleurs, trouvant, dans une civilisation effacée, les moyens de vaincre le cancer ou de neutraliser la bombe atomique...

Le vrai héros chrétien avait été le martyr. Puisque l'Église n'avait pas permis la représentation exaltante des chevaliers, où fût-elle née? Depuis des siècles, les statues profanes n'existaient plus. Au Latran, le *David* de Michel-Ange eût semblé un blasphème. Mais le chevalier devient un héros.

Outre-monts, une résurrection farfelue accompagne, recouvre la sienne : la résurrection de la Fable. Entrée des pampres, nymphes et satyres dans la poésie, dans les arts plastiques. Les princesses de Trébizonde du gothique international s'effacent. L'*Anthologie* séduit des amateurs nés avec le développement de l'imprimerie, de la poésie profane. Elle laisse les autres stupéfaits. Qu'eût éprouvé un seigneur artiste de naguère, Machaut ou Charles d'Orléans, devant l'invasion de la chrétienté par ces bergers (on connaissait alors les vrais!) qu'engloutissait l'Hadès par quelque trappe? Ils reparaîtront sur les bords du Lignon hanté d'Artabans — ils reparaîtront encore sur l'éventail de Marie-Antoinette. D'où vint l'invasion de ces dieux de spectacle, quand le théâtre n'existait pas? Nous en parlons comme d'une mode; elle couvre la chrétienté deux cent cinquante ans, verra s'effacer tous ses rivaux. Dieux, bergers, sont gens de cour; mais comment Machaut eût-il conçu qu'une magie comparable à celle de l'orgue imposât, magnifiât pour des siècles ce ballet mythologique et bocager? La dernière monarchie française emportera la molle capture des dernières nymphes, dans une nuée d'amours, par des immortels cornus.

Mais la peinture, la sculpture italiennes tiennent ce jeu pour marginal, d'autant plus qu'elles commencent à le juger démodé. L'École de Diane qu'elles imposent à l'Europe grâce à celle de Fontainebleau est née de deux maîtres épisodiques, le Primatice et le Parmesan. Au second, Titien survivra presque un demi-siècle. La mythologie légère règne sur la poésie française; mais si, par poésie, nous n'entendons pas seulement les vers, mais un monde d'admiration, nous y trouvons pour rois, les arts plastiques et la musique religieuse. Quel Ronsard égale en poésie Titien qui réinvente Vénus, la délivre du charme d'enluminure qu'elle avait trouvé à Florence? ou Michel-Ange, qui ressuscite le héros?

L'imaginaire profane n'atteindra la dignité de l'imaginaire religieux, que lorsque la littérature deviendra enfin l'égale de la peinture. Les successeurs de Michel-Ange et de Titien ne seront pas des peintres, mais Shakespeare, Monteverdi, Corneille. Pour qu'Aphrodite pût rivaliser avec la Vierge, et le héros avec le saint, il avait fallu que Plutarque révélât le droit de l'homme à la grandeur. Mais aussi, que naquît la salle de théâtre des Grandes Monarchies — événement parodique, puis rival, de la naissance de la cathédrale.

IV

L'IMAGINAIRE DE L'ILLUSION

Nous regardons le théâtre comme une branche de la littérature, les statues médiévales comme une école de la sculpture. Certes, Aristote avait exigé que la tragédie fût digne d'être lue, et on l'avait assez répété. Certes, Shakespeare, Corneille, Molière, pratiquaient Sénèque, qui avait écrit ses tragédies pour qu'on les lût, de préférence à haute voix, non pour qu'on les représentât. Shakespeare n'en déplora pas moins l'imprimerie. Nous sommes conscients de la métamorphose qui fait passer la sculpture romane, de l'église au musée; nous le sommes moins, de la métamorphose que la *lecture* impose à Shakespeare et à Corneille — d'abord parce qu'imaginer la représentation des pièces nous est familier. Corneille a écrit *Le Cid* comme on prend son billet : pour un lieu proprement enchanté, irréel, propre à mille transformations (il va en faire *le* théâtre) qui participe de la féerie et du préau des fous.

L'humanité a connu, de façon intermittente, des lieux magiques et pourtant familiers, dont le dernier est l'arène des corridas. D'une part, le Colisée avec ses gladiateurs et ses martyrs, le Carnaval, le stade, la Fête lorsque le déguisement y figure, et il y figurait souvent; d'autre part, le théâtre antique, celui des Grandes Monarchies, l'Opéra — et avant eux, la cathédrale. Ces lieux capturent l'imaginaire qui s'y incarne, créent leur public en même temps qu'ils l'intoxiquent. La transformation de la poésie après Shakespeare, les Espagnols, Corneille, tient évidemment à la naissance, puis la gloire, du théâtre. Amputer *Macbeth* et *Le Cid*, de la représentation à laquelle l'auteur les destinait, si primitive qu'elle nous paraisse, n'est-il pas aussi radical que séparer un texte sacré, de sa liturgie? Nul ne peut lire la messe sans la rapporter soit au culte, soit à la superstition, à l'histoire, à la littérature. Dire que nous la lisons pour rien signifierait, de toute évidence, que nous la lisons en tant que texte littéraire, — de même que « conserver » une sculpture religieuse dans un musée, veut dire que nous la faisons passer du monde de la foi, dans celui de l'art. Toute œuvre née pour un lieu d'irréel se métamorphose lorsque l'irréel du lieu a disparu. Nous acceptons le parallèle des lycées entre Molière et La Bruyère : pourquoi ne comparerions-nous pas ces deux auteurs de livres? Mais La Bruyère n'a pas écrit de pièces; et notre temps, à la fois téléspectateur et lecteur, confond de moins en moins la vie propre d'un monde fictif, et celle de la fiction écrite.

Pourtant, le théâtre ne disparaît pas devant les livres? La cathédrale n'avait nullement disparu devant lui. Sa naissance nous remet en mémoire qu'il advient à l'imaginaire de hanter un lieu vivant, un zoo parmi les animaux empaillés. Le théâtre, durant des siècles, a été ce lieu magique de la fiction. Avec ses religions provisoires, son cérémonial, son irréalité contagieuse où se mêlaient le fantastique et l'artificiel (imaginons les premières représentations de *La Flûte enchantée*), ses grands prêtres costumés : Shakespeare et Molière, ses chapelles sans nombre, les trente-sept théâtres de Venise, Arlequin contre Turandot... Avant *Le Cid,* c'est un théâtre d'ombres, puisque les chandelles, fixées au décor (la rampe n'existe pas encore) éclairent les acteurs en silhouette. Salut, moucheur de chandelles inconnu qui fixas deux lattes en croix pour y planter les lumières, inventeur du premier lustre — du dieu insolite qui fascinera Baudelaire, et régnera sur ce peuple d'illusion, depuis l'Espagne jusqu'à la Russie...

La Cour des chimères trouvera-t-elle son apothéose dans le palais, comme le troupeau des églises avait trouvé le sien dans la cathédrale? Après Saint-Pierre de Rome, Versailles? On connaît mieux la symbolique de Chartres que celle des bassins, allées et statues qui forment pourtant une Cour du Soleil, conçue par quelque Cyrano cosmonaute, au service de Phœbus-Apollon. Son bassin règne sur ceux de Latone et de Diane; Latone est la mère d'Apollon, Diane, sa sœur. Au-delà d'un décor, ce ballet pétrifié rivalise avec l'ordre invincible, zodiacal, que Chartres avait enraciné au plus profond de l'homme. Rivalité orgueilleuse mais illusoire : l'âme rechigne à devenir l'esprit, la silencieuse majesté du palais écoute son théâtre qui la hante à l'égal de ses victoires, et les Cours des Grandes Monarchies deviennent théâtre.

Comme la piété liturgique avait changé de nature en devenant la piété privée, la fiction de Titien en devenant le théâtre élisabéthain, un imaginaire collectif et physique avait pris forme en devenant théâtre. Progressivement. Accompagné par la passion de la foule lorsque sous ses yeux le jeu de paume et le chariot des comédiens deviennent hôtel de Bourgogne, comme nous avons vu le cinématographe devenir le film parlant. Ne fallut-il pas une passion qu'on appellerait aujourd'hui psychose, pour que les acteurs venus de la bourgeoisie ou de la noblesse, Molière ou Floridor, aient choisi, poursuivi contre vents et marées, une profession qui tenait du fou de cour et du hors-la-loi, jusqu'au refus de sépulture, ou à la cérémonie mortuaire « réduite aux prières des petites sœurs des pauvres ». Ainsi fut enterrée la Du Parc, suivie par Corneille, Molière, Racine et La Fontaine, qui tous l'avaient aimée — ce qui ne fût peut-être point advenu si elle n'eût été comédienne, et eux, auteurs. Goethe, directeur du théâtre de Weimar, eût-il dirigé un cirque?

Le public d'Athènes, au temps de Périclès, a plus souvent connu les cris des stades que les applaudissements de la Comédie-Française. Sur les tréteaux d'hier, l'Homme de Shakespeare, de Corneille, redevient, comme en Grèce, l'enjeu de la fiction théâtrale. On ne jouait plus l'Homme dans une salle de spectacle depuis l'antiquité.

Attachant grande importance à quelques sentiments contradictoires, pourtant connus de tous, nous examinons l'épopée, la tragédie, la chanson de geste, comme si leurs personnages étaient des personnages de romans primitifs. Or, pour Homère comme pour Eschyle, pour l'auteur de *Tristan,* l'analyse psychologique n'a pas plus d'importance que pour l'auteur de la *Bhagavad-Gita.* Ils y voient un moyen de création, comme dans la narration ou l'imagination. Elle est subordonnée à l'héroïque, au religieux, au merveilleux. Même Sophocle entend susciter l'admiration pour son génie hanté, pas du tout pour sa finesse. Il en sera encore ainsi chez Corneille. Nul ne nous présente l'ambivalence brutale des sentiments de Camille, de Rodrigue, les adieux d'Hector et d'Andromaque, comme des découvertes psychologiques. Le « faire la guerre sans l'aimer » de Curiace (et d'Arjuna) est sans doute aussi vieux que la guerre.

La plus haute autorité du lieu où naît l'autorité en littérature et dans les arts : la Cour de France, veut que notre poésie commence à Malherbe. Le lien de celui-ci avec le Corneille de *Cinna* ou du troisième acte d'*Horace,* va de soi jusque dans le ton, boucliers et glaives qui retentissent en Corneille au seul nom de Rome, et que Boileau eût trouvés parfois dans *Les Tragiques.* C'est le ton que les dieux auraient dû donner à Plutarque, l'accent hérité de tous les « styles sévères », le grec comme le toscan. L'ombre du *Brutus* de Michel-Ange hante ce théâtre, et combien de vers cornéliens murmure son *Crépuscule :*

> *Que des plus nobles fleurs leur tombe soit couverte,*
> *La gloire de leur mort m'a payé de leur perte...*

C'est le génie dorien de la France.

L'inévitable parallèle entre Corneille et Racine, même chez La Bruyère, ne nous apprend rien de leur création. Leurs personnages, avant de se référer à « la nature » se réfèrent à deux imaginaires. Celui des héros de Corneille, dit-on, à Plutarque; celui des héroïnes de Racine, à *La Princesse de Clèves...* Il ne s'agit pas de sujets semblables traités différemment, malgré *Bérénice :* que seraient un *Cinna* de Racine sinon un pastiche, une *Phèdre* de Corneille? Racine écarte l'imaginaire que Rome hérite de Sparte, et qui n'appartient pas seulement à Corneille, mais à un fantastique oratoire et guerrier où l'invincibilité des Légions se mêle aux empereurs « maîtres d'eux comme de l'univers »... Ce que n'est pas le jeune Néron. Pourtant, à seize ans, Racine annotait Plutarque...

A l'imperator, il n'oppose ni Bajazet ni Phèdre. Il oppose la tragédie, forme littéraire, à l'objet véritable de Corneille, qui n'est pas une forme, mais un ton.

Corneille aime l'éloquence, mais son génie n'est pas plus d'éloquence, que celui de Racine n'est de psychologie. Beaucoup de ses plus beaux vers expriment l'irrémédiable, une grandeur désolée qui emplira encore la moitié d'*Attila.* La tragédie a pour fin de la saisir au passage. Le reste est récitatif — rançon... Victor Hugo modifiera, mais acceptera, les servitudes de ce discours dramatique, indispensable élan des moments inspirés.

En va-t-il de même pour Racine, les cris de Phèdre remplaçant les imprécations de Camille ou la fierté du vieil Horace? Il définit peu son art (les théoriciens du classicisme s'en chargeront) mais le connaît bien.

Il retrouve l'esprit qui gouverna la bibliothèque d'Alexandrie, la notion spécifique de littérature; il s'accorde à l'immortalité dont Rome avait retrouvé l'âme, et notre Pléiade, le décor; comme il s'accorde, l'imprimerie aidant, au rapport possessif du poète avec son sonnet, du bronzier avec sa statuette. Épisodiquement, car il voit dans Ronsard un rhétoricien prolixe, plutôt que l'auteur des *Sonnets pour Hélène*. Et le théâtre donne au poème l'éclat du spectacle, l'harmonie d'un ballet suprême. La poésie lyrique s'éloigne : les plus beaux vers sont des vers dramatiques. Le caractère de l'admiration qu'inspire Racine l'a fait lier à Poussin; néanmoins, ses amis, ses admirateurs, jusqu'en 1850 et même Delacroix, ne reconnaissaient pas son frère en Poussin, mais bien en Raphaël. A la surprise des étrangers, les Français jugent qu'il ignore tout baroque; de même que notre peinture passe du classicisme au style Louis XV, rococo des historiens italo-allemands. Tels caractères fondamentaux du classicisme qui va conquérir l'Europe, sont pourtant exprimés pour elle par la peinture italienne du siècle précédent. Mais il n'y a pas de Raphaël en poésie.

De même que la Rome spartiate pour la Révolution, que la Convention pour Victor Hugo, Raphaël pour Louis XIV et Louis XIV pour les néo-classiques, Racine incarne un mythe. J'appelle mythe le style d'un artiste, d'un homme, d'un événement, lorsqu'on fait, de sa valeur spécifique, une valeur suprême et ordonnatrice. Depuis Boileau jusqu'à Maurras et même Valéry, le mythe de Racine, qui devient peu à peu le symbole unique du classicisme, s'étend aux arts, à l'architecture, à l'esprit. Il prête aux poètes le refus de tout ce qu'ils ne possèdent pas. « Peut-être portait-il en lui trois ou quatre monstres à la Shakespeare », écrit Valéry, pour qui Shakespeare ne porte évidemment aucun Racine. On approcherait ce mythe en disant : la conscience d'une relation nécessaire (d'intensité, d'étendue, de présentation, etc.) entre chacune des parties et l'ensemble, la conscience des limites et de la nature de leur subordination. Les raciniens l'appellent, de préférence, recherche de la perfection. Le rugueux Corneille n'y prétendait point.

Recherche que dégage assez bien la comparaison des tragédies de Racine avec ses *Plaideurs*, bouffonnerie de cristal — ni ascendants ni descendants, rien à voir avec Molière — où il ne s'est pas soucié de perfection; comédie baroque plus proche d'un Cyrano de Bergerac devenu transparent, que d'*Iphigénie* ou d'*Esther*. Le limpide monologue de Petitjean ne sert pas le même Ordre de la poésie que

> *... O mon souverain roi,*
> *Me voici donc tremblante et seule devant toi...*

Le Racine mythique est l'auteur de tragédies où le vrai Racine annexerait Chénier, La Fontaine lyrique, à la rigueur Virgile (assez peu la Grèce, bien qu'il sache le grec). On le crédite d'une *Andromaque* qui ressemblerait à l'*Hérodiade* de Mallarmé — les affrontements en plus. L'unité musicale de son écriture conduit à tenir « La fille de Minos et de Pasiphaë » pour une harmonieuse généalogie, alors que ce vers signifiait pour ses auditeurs : la fille du monstre et de la démente. Au moins autant que sur ses plus beaux vers, son mythe se fonde sur l'unité attribuée à sa voix, unité qui maintiendrait ce qu'il appelait « la tristesse majestueuse qui sied à la tragédie » et où son récitatif atteindrait la densité de celui d'*Hérodiade*. Pas seulement ce que Gide appelle harmonie, donc musicalité : un style au sens que ce mot prend en architecture. Or, Racine n'a pas écrit le discours d'Oreste à Pyrrhus, le rôle de Théramène, selon la musique de « Soleil, je viens te voir pour la dernière fois! ». Son récitatif ne " décolle " pas toujours. Il le sait. Il ne s'est nullement soucié d'écrire *La Jeune Parque*, de trouver, cent cinquante ans plus tôt, la mélodie de Lamartine. Son entreprise, il la connaît si lucidement, qu'elle gouverne *Athalie* comme *Andromaque*. La Cour ne s'y trompe pas; ni Voltaire, ni les adversaires du romantisme. Les romantiques, eux, entendent faire éclater le monde clos où le plus grand art tiendrait à ce que l'œuvre du poète exprime *le plus haut niveau de civilisation.*

Tout grand poète crée son mythe, que dégagent très bien les parodies; mais celui de Shakespeare symbolise Shakespeare, celui de Racine ordonne une esthétique, s'accorde à une société, et impose pour deux siècles, sous un nom léger : le goût, la plus complète rationalisation de l'art, qu'il ait connue depuis Aristote. Malgré notre souvenir du Purgatoire traversé par Shakespeare, nous ne lisons pas sans profit le jugement de La Harpe au sommet de sa gloire : « Shakespeare lui-même, tout grossier qu'il était, n'était pas sans lecture et sans connaissance. »

La perfection, en art, est une idée-piège. Pour qu'elle trouve toute sa force, il lui faut le passé : perfection des Anciens pour notre XVIIe siècle, de Racine contre les romantiques beaucoup plus que contre Pradon. Fait-elle partie de son mythe, fait-il partie du sien? Car la perfection s'incarne plus qu'elle ne se définit, et il est instructif que Stendhal vénère Raphaël et traite Racine de perruque, non parce qu'il juge le peintre supérieur au poète, mais parce qu'il accepte en peinture, un mythe qu'il refuse en littérature. La perfection, si elle se définit mal, désigne bien ses adversaires. On peut l'attribuer à un art aussi manifestement élaboré que celui de Racine; évidemment pas à celui de Victor Hugo, et de Rimbaud, moins encore. La comédie de l'esprit consiste à poser un art comme privé de perfection, ce dont en effet il ne se soucie pas (Shakespeare, Rembrandt), puis à lui opposer la " réussite classique " incarnée dans Raphaël, dans Racine, dans une époque. La perfection est le dieu de l'esprit classique, et l'esprit classique, le juge de la perfection.

La comédie inverse ne sera pas plus convaincante.

On a surtout étudié l'évolution du théâtre d'alors, en fonction de l'amour. Étude qui nous révèle pourtant, dans l'amour de fiction, un sentiment conventionnel entre tous, qu'on le peigne grivois ou qu'on le peigne angélique. L'évolution des rôles est moins instructive que celle des Mémoires, Racine moins que Tallemant. Il semble difficile d'attribuer à quelques précieuses, l'abîme qui sépare l'entourage de Henri IV, et la cour de Versailles. En outre, le roman Louis XIII est un jeu, comme notre roman-policier. Or, on cesse de jouer.

Montaigne avait été un professionnel. La conversation a changé, moins parce qu'elle devient précieuse que parce qu'elle devient intelligente. On prend des notes; on écrit des maximes; parfois on les publie. L'un de leurs auteurs est l'ami de la première vraie romancière française. On ne parle pas que d'amour; on en parle autrement. Il est instructif de lire La Bruyère après les premières historiettes de Tallemant. La société n'a pas moins changé que par une révolution. Oh! l'on parlait des femmes, et de l'amour, sans oublier les cancans; on parlait aussi des Grands, des directeurs de conscience, de bien d'autres. Ce qui transforma l'amour fut moins la façon de le faire que d'en parler : la société prit l'habitude d'y réfléchir, et s'en trouva bien.

L'analyse des sentiments n'y eût pas suffi : le *Grand Cyrus* en regorgeait. Il y fallut la valeur donnée à l'amour et à son caractère énigmatique, dont Marguerite de Navarre s'était peu souciée. « Aujourd'hui, la tragédie, c'est la politique! » dira Napoléon. On aurait pu dire plus tôt : « Aujourd'hui, la tragédie, c'est l'amour. » Dans les romans héroïques, on aimait le plus digne, la plus digne. Mais Mme de La Fayette comme Racine, redécouvrent Tristan : l'amour, c'est d'abord le philtre. Serviteur de la

mort, plus sûr que les aventures de La Calprenède...

Shakespeare, Corneille, avaient mis en scène
des sentiments. Racine, Mme de La Fayette,
emploieront le mot au singulier; *le* sentiment,
ce sera l'amour. En un temps où les hommes
exerçaient des offices alors que les femmes
jouaient des rôles, la conversation, le lien entre
les sexes, en furent bouleversés; elle devint plus
salonnière, moins cynégétique, aux cancans
près. Or, l'amour est un sujet privilégié, parce
qu'il est mystérieux, indiscret, et général.

Corneille fut sans doute un esprit remarquable; ce qu'il dit de l'amour l'est rarement.
Il n'est pas d'un écrivain incapable d'émotion,
de faire dire à Curiace, avant le combat :

J'ai pitié de moi-même, et jette un œil d'envie
Sur ceux dont cette guerre a consumé la vie;
Sans souhait toutefois de pouvoir reculer,
Ce triste et fier honneur m'émeut sans m'ébranler.
J'aime ce qu'il me donne et je plains ce qu'il m'ôte...

Mais les vers sont au service du ton, non de
l'analyse — comme toujours. Comme la chasse
pour d'autres, l'amour n'était pas son sujet.
Mais l'évolution sera de grande conséquence.
Fontenelle est né vingt ans *avant* la mort de

Corneille... Les *Lettres persanes* eussent-elles rencontré, un siècle plus tôt, leur surprenant succès? La gloire de l'essai précède de loin celle du roman.

Et c'était le second genre, inconnu de l'Antiquité.

Passer du traité à l'essai, est passer du travail à la conversation. On sait l'éclat que prendra celle-ci au xviiie siècle. Qui s'en souciait au xvie? La naissance d'une société lettrée (une Cour de trois mille officiers, non la poignée des compagnons de Henri IV) fut capitale, pas seulement en France. Imaginons-nous qu'en une génération, quelque mode toute-puissante remplace les romans idiots par ceux de nos grands romanciers? Il est raisonnable de penser que l'analyse intelligente de l'amour fut un événement; il ne l'est pas moins, de penser que la descendante d'*Iphigénie* ne fut pas *Mérope,* mais *La Nouvelle Héloïse...*

Si nous n'avions lu que les préfaces de Racine, combien ses tragédies nous surprendraient! Il y a parlé à peine de ce qui va gouverner la poésie française : l'amour comme énigme, la stylisation comme valeur suprême...

Pourtant ni ses colonnades ni ses sentiments ne régneront seuls sur l'Europe. L'Italie, dont il se réclame, est en proie au baroque, au rococo, dont l'expression majeure est l'Opéra. Non l'opéra français, riche pourtant en plumes et en machines, dont la salle restait une dépendance du palais : le Théâtre de Louis XV ne rivalise pas avec Versailles. Mais la grandiose salle italienne dont la Scala conserve l'âme, et dont le merveilleux nous est transmis par celles que peignirent Pannini, surtout Guardi, gigantesques bouquets où la foison cristalline du lustre arrache aux fonds grenat, des balcons entiers de robes en virgules, comme des cascades de chèvrefeuille. Salles qui baignent de musique l'auditeur, retenu par elles autant que par les acteurs, — comme Chartres a baigné de foi ses familiers, Versailles, de royauté. Ces conques fabuleuses furent les Paradis de Venise, de Milan, de Naples, où la passion et l'intrigue vraies se mêlaient aux amours des tritons et des nymphes. La vie des loges que Stendhal nous décrit sur la musique de Cimarosa, avait empli le siècle, depuis les trente-sept salles de Venise

79

qui ne comptait peut-être plus trente-sept paroisses, jusqu'au grand-théâtre de chaque province. Sur la Scala, San Carlo, la Fenice, régnait un Roi Carnaval de musiques furtives et de dominos, tout un murmure de sourires rappelant qu'on avait dansé dans les cathédrales. Lieu public, ce théâtre marque la conquête de la Cour et de la Promenade, par l'imaginaire enchanté qui fera rêver l'Europe — le vainqueur des palais, la cathédrale devenue féerie. Comme la cathédrale encore, le théâtre commence par son architecture intérieure. Celui de Louis XV, si raffiné, n'a pas de façade avant le xixe siècle. Sainte-Sophie n'en a jamais eu. Mais lorsque le théâtre élèvera la sienne, il deviendra monument : comment ne pas voir dans l'Opéra de Paris, la Notre-Dame de Napoléon III?

Plus tard, on construira le Metropolitan de New York, à l'italienne... C'est l'Italie, qui aura choisi l'irrationalité de l'art, la primauté de la musique sur la tragédie : elle, qui aura bouclé la boucle. Le romantisme verra fréquemment dans les cathédrales les théâtres de leur temps. Notre connaissance du Haut Moyen Age, bien différente de la sienne, nous mène à une métamorphose non moins différente, mais plus profonde. L'époque des palais tient la cathédrale pour un palais primitif à la rigueur, un temple entre le Ramesseum, le Parthénon et Saint-Pierre de Rome. Mais les cabanes où vivaient les moines de saint Colomban, l'église de torchis et de bois où ils se réunissaient pour louer Dieu, ne sont ni des cathédrales primitives ni des Parthénons barbares. Grande ou petite, l'église n'est pas initialement une *maison*, c'est un lieu de surnaturel. Les chrétiens s'y réunissent pour louer Dieu ensemble, selon la piété liturgique; où pourraient-ils le faire mieux que dans son autre-monde, celui de l'édifice élevé pour accueillir les reliques et régner sur les morts? L'imaginaire chrétien ne commence pas à Moissac, et il est aventureux de prendre appui sur quelques textes pour voir dans l'art roman la Bible d'un peuple illettré, car depuis longtemps ce peuple possédait un moyen de communion plus profond que les images : la musique sacrée. Le Haut Moyen Age est à peine l'Occident, c'est la forêt d'un Orient qui connaît les chants syriaques avant de recevoir les chapes byzantines. La sculpture romane ne sera pas vieille lorsqu'elle représentera aux chapiteaux de Cluny les tons de la musique, et ne le fera pas pour enseigner à la pieuse foule illettrée, qu'ils ressemblent à de charmantes figures. Même les images et la majesté de la cathédrale n'en chasseront ni le vieux grenier-à-prières, ni la présence de l'invisible et des morts. Depuis le chant grégorien dans l'église encore misérable, jusqu'aux triomphes de la Fenice, rien ne symbolise l'aventure de l'imaginaire européen, pas même le théâtre-palais, aussi clairement que la métamorphose de la liturgie en spectacle... De Racine à Voltaire, l'homme de goût dirige l'Europe — avec ses réserves quant à la démesure de Michel-Ange, du dernier Titien, sa passion pour Raphaël. Le monde-de-l'art en 1690 (qui serait fier de se définir par le mot : ordre) a bien changé, depuis la cohue du siècle précédent. Qu'eût répondu Michel-Ange à l'assertion de Poussin, que la fin suprême de l'art est la délectation? La littérature, qui égale maintenant les arts plastiques, va vénérer la perfection dont la royauté ne finira qu'avec la royauté française. C'est

elle, qui juge Shakespeare barbare. Et les cathédrales. Qu'eût pensé Saint Louis de l'homme
de goût, qui jugeait de la Bible? (Et même,
Joinville?)

Le romantisme, dont la première idéologie
sera défensive, n'exigera pas de traiter *Othello*
en drame de Shakespeare et non en pastiche de
Voltaire, il exigera de la littérature qu'elle
annule la distance qui sépare l'œuvre, du spectateur. Or, la « réussite classique » est devenue
inséparable de cette « distance » d'objet d'art,
étrangement attribuée à toute l'antiquité. Dans
ce classicisme, comment le monde de l'art,
l'imaginaire et la beauté ne coïncideraient-ils
pas? La beauté n'est pas un style, mais LE
style. Cet art ne se conçoit pas comme une école,
il continue à se tenir pour l'expression suprême
de l'homme depuis l'antiquité. Voltaire, s'il
eût mieux connu Shakespeare, eût-il changé
d'avis? Il connaissait bien Corneille. Le seul fait
de concevoir un pluralisme de la beauté la
guillotinait comme un simple roi. Le Louvre
qui succédera au romantisme ne sera pas
romantique, mais il sera pluraliste.

Delacroix se soumet à Venise qu'on appelle
Rubens, comme Ingres se soumet à Raphaël.

Alors que la poésie, pour la première fois, met en cause la condition humaine. Mais la révolution que nous ne trouvons pas dans la peinture romantique, nous la trouvons dans la métamorphose romantique du passé. A la lignée Antiques, Raphaël, Poussin, David, elle substitue la triade Michel-Ange, Rembrandt, Goya. A tous les mythes littéraires classiques, le mythe Shakespeare. Elle entreprend de détruire le mythe de la perfection, au bénéfice de celui du génie.

V

L'IMAGINAIRE DE L'ÉCRIT

Le drame romantique ne serait pas né sans l'identification de l'artiste et du génie. La Grèce avait connu quelque chose de semblable chez les faiseurs de dieux, mais les dieux y contribuaient; et la Renaissance quelquefois, car Donatello était encore fier de porter son tablier de cuir. Corneille n'est pour personne un personnage cornélien; Louis Racine conçoit le génie de son père comme « de la belle ouvrage ». Mais la triade élue du romantisme, tous ceux que Victor Hugo appelle les Égaux, depuis Shakespeare l'Ancien qui est Eschyle, jusqu'au vrai Shakespeare, sont pour lui, leurs propres statues.

Elles doivent beaucoup à la désagrégation de l'âme chrétienne. *Phèdre* est bien éloignée de l'âme pécheresse de Racine — de Jean, dira son curé devant son cercueil; pour Victor Hugo, l'âme d'Eschyle a écrit *L'Orestie,* participe du même mystère. A la Renaissance, on avait du génie, on n'était pas un génie. Surtout en littérature. On avait tenu Pétrarque, l'Arioste, pour de bons poètes " en mieux "; les romantiques tiennent le plus mauvais poète pour un Shakespeare en plus mal. L'artiste a cessé d'être un homme qui fait des poèmes, des tableaux, des statues : le verbe faire, si important en Grèce, ne s'applique plus à lui. Un dieu de l'art se manifeste à travers ses prophètes.

Stendhal simplifie, lorsqu'il exige le droit d'aimer les pièces qui lui plaisent, non celles qui plaisaient à son grand-père. Jamais ses adversaires ne lui concéderont que *le* goût soit celui de leurs grands-pères. Entre la pluralité des goûts, et une doctrine qui pose que « l'honnête homme, si son goût le fourvoie, s'applique à le corriger », le conflit d'écoles est aussi de postérité. Les romantiques confient la leur à un avenir inconnu; mais Voltaire se voulait néo-racinien, Lebrun, J.-B. Rousseau, Lefranc de Pompignan se voulaient néo-malherbiens. Nous avons oublié ces hymnes dont Victor Hugo, dans ses premières *Odes,* n'est pas tellement délivré. Au nom de Racine,

Voltaire ou Delille, la beauté ne pouvait naître que d'un discours continu, distinct de la prose par le mètre et par ce qui s'y accordait. Le premier romantisme est-il le passage de la périphrase aux images? Pourquoi cette boulimie de périphrases? Parce que les derniers classiques voulaient encore exprimer le plus haut degré de civilisation.

Le conflit entre le drame et la tragédie semble clair, parce que le drame se réclame de la réalité. En art, ce qui se réclame du réel ne se réfère jamais à lui seul. Et la position des adversaires du romantisme apparaît plus secrète, mais moins équivoque, dans la poésie lyrique.

Lefranc de Pompignan, Lebrun, J.-B. Rousseau, ont été assurés d'élever des colonnades comparables à celles de Perrault et de Gabriel; et moins assurés, que Corneille fût tout à fait un homme de goût. La périphrase marque la distinction, fait de ses poètes les princes du sang de l'immortalité. On parle de la majesté d'une tradition qui unit curieusement Racine à Sophocle. On ne dirait Hugo-Pindare que par dérision, alors qu'on avait dit Lebrun-Pindare sans rire. La tragédie se contraignant au style noble, ses adversaires se font gloire d'employer, dans leurs drames, un style parlé que les académiques tiennent pour blasphème au sens précis, puisque la tragédie ne peut tenter d'atteindre la perfection, hors de la distinction des genres. Le monde de la beauté était un monde clos, une évidence et non une préférence. Il avait exigé un consensus, ne pouvait survivre à sa mise en question, devenir une école parmi d'autres. La politique aidant, notre siècle voit dans les anti-romantiques, des réactionnaires. Ce qu'ils furent rarement. Antique-et-perfection exercèrent l'action mythique exercée par les âmes-sensibles, par gauchisme-et-révolution, par le romantisme, enfin.

Hugo conçoit le drame comme le poème : *Hernani* ne commence pas par la méditation de Charles Quint. Orateur, penseur, rhapsode, il *parle*. Pendant ce discours et grâce à lui, l'inspiration intervient : c'est le discours de Ruy Blas, ce sera le *Waterloo* de l'*Expiation*. Tenir compte des vers négligeables ne serait pas de jeu : il faut ce qu'il faut : le vent, pour que le bûcher flambe.

C'est précisément ce qu'avaient refusé les néo-raciniens et les néo-malherbiens. Ils professaient, sans parvenir une seule fois à l'articuler, qu'une pièce, un poème, étaient des opéras : le récitatif y était donc légitime; les paroles, non. L'unité, la distinction ininterrompue d'avec la prose, sont indispensables à la réussite de l'œuvre, lui confèrent sa dignité de poème; à quoi ne suffisent point des instants inspirés. Ce n'est pas une argutie, c'est une esthétique. Celle que les raciniens avaient opposée à Corneille. Elle disqualifie quiconque la conteste; mais s'il est vrai que devant un raffinement qui unit Racine à Virgile, *Macbeth* devient un chef-d'œuvre hirsute, devant *Zaïre* aussi. Le peigne a du bon; encore faut-il avoir des cheveux. Paul Valéry n'écarte pas toujours cette esthétique mandarinale. Qu'il l'applique à Racine, et il retrouve le goût (« On n'a plus de goût depuis Voltaire »), tous les concepts des arts de l'ordre. Mais dans la seconde moitié du siècle (disons : après la mort de Balzac...) la tragédie et le drame se survivent. La construction de l'Opéra de Paris marque l'apothéose du théâtre, qui n'est plus une salle, mais le monument du règne — au bénéfice du théâtre lyrique, dont l'autre apothéose s'appelle Wagner. Le reste n'est que Dumas fils... Car la nouvelle incarnation de l'imaginaire va submerger le théâtre : le roman.

L'Académie avait fait la fine bouche devant Balzac. Elle acceptait le roman, en tant qu'analyse de sentiments choisis. Non lorsqu'il s'abaissait à raconter des histoires.

C'est par Flaubert, malgré les poursuites engagées contre *Madame Bovary*, que le roman devient digne d'admiration; *Salammbô* y contribuera. Au terme imprévisible d'une évolution jusque-là cohérente, les Français retrouvent en Flaubert ce qu'ils ont tant admiré chez Racine : le créateur d'une forme. Non seulement écriture, mais encore style au sens architectural : on ne peut insérer *Madame Bovary* entre *Le Père Goriot* et *Les Misérables,* que l'on qualifie ceux-ci de chefs-d'œuvre, ou de feuilletons. Flaubert justifie le roman par ce style et par la « distance » racinienne, si frappante en face de la complicité qu'imposera Dostoïevski. Le genre du roman eût conquis le siècle sans Flaubert; mais le naturalisme montrera la précarité de cette conquête, la permanence de la réaction tantôt contre Alexandre Dumas et Victor

Hugo, tantôt contre Balzac, puis Zola. En 1890, la place du roman égale néanmoins celle de tous les autres genres ensemble; le destin de la littérature s'y joue, en Europe et en Amérique.

A l'époque où les créations majeures de la peinture et de la poésie proclament l'autonomie de leur art, ni le naturalisme, ni le raz de marée qui donne au roman son audience internationale — Zola, mais aussi Tolstoï, Dickens, la découverte de Stendhal — le roman ne revendique aucune autonomie, semble soucieux avant tout de photographie. Flaubert ne se sentira pas moins coupable de *Saint Antoine*, que Delacroix, de ses esquisses. Comble d'ironie, Zola s'apitoie sur Cézanne, et défend Manet au nom du réalisme.

Une confusion si parfaite ne survivra pas au siècle.

La lecture n'était pas née contre le théâtre, elle l'accompagnait. Mais la Comédie-Française où l'on créait les pièces de Dumas fils ne tenait plus le rôle qu'avait tenu la Scala de Milan dans le rêve, ni dans la vie sociale. Toute révolution de l'imaginaire, avant de se marquer par la substitution d'un genre à un autre, se marque par un changement de liturgie. On avait découvert que l'on pouvait prier seul, on découvre que l'on peut imaginer seul, écouter un livre comme on priait sa Vierge d'ivoire. De sa vertu magique, la salle de spectacle conserve seulement la vertu mondaine que Proust reconnaîtra encore à l'Opéra de Napoléon III. Le grand Jeu de l'homme et de l'imaginaire qui s'était joué au théâtre, en peinture, à l'église, se joue donc dans le roman.

Il n'a ni modèles ni passé. Ni conflits de doctrines. On avait passionnément discuté du romantisme; moins, des romans de Hugo, de Vigny, de Musset, de Nerval. La gloire de *Don Quichotte* n'en faisait pas un modèle. Le naturalisme aura une doctrine, Flaubert n'en a pas. Comme Sainte-Beuve, les critiques en place ne précisent leur idée du roman que pour le définir en tant que genre inférieur. Du moins les créateurs, et d'abord Baudelaire, pensent-ils qu'il n'est pas ce qu'il paraît.

« Les *Mille et Une Nuits* de l'Occident! » disait Renan. Mais pour qui, ces contes sont-ils les romans de l'Orient?

Je doute que les travaux de Renan l'aient conduit à lire beaucoup de romans. Il eût moins admiré George Sand. Et compris que sa bienveillante ironie acceptait imprudemment l'identité des romans et des " histoires ". Les récits sont communs à toutes les civilisations, l'antiquité comprise; mais ils étaient oraux, même quand elles connaissaient l'écriture. On a d'abord nommé romans, les histoires écrites en langue romane pour qu'un lecteur les récitât à un public qui ne savait pas lire. Ce que *nous* appelons roman n'eût pas été concevable sans la diffusion de la lecture à voix basse. D'autant plus lente que l'écrivain reconnaît à peine ses droits : comme Boccace, comme Marguerite de Navarre, il se veut sténographe. Il découvrira tard l'autonomie de l'écrit narratif. On peut douter que la reine de Navarre ait eu pleinement conscience de *raconter des entretiens* (et non de les reproduire) comme elle racontait l'interruption du voyage. Pendant combien d'années le cinéma fut-il tenu pour un moyen de reproduction de la scène, même par Méliès?

La lecture silencieuse transforma l'étendue et le rôle du public féminin. Rabelais semble hors du jeu : les femmes ne le lisent guère, il est le prosateur le plus oral de notre langue, et son génie n'annonce point le romanesque. Ce mot, qui s'applique à la fois au domaine du merveilleux et à celui des sentiments, porte à confusion. Car le second, en littérature, est né *dans* le premier. Rien n'eût interdit à l'almanach de résumer les aventures contées par Mlle de Scudéry, qu'on eût récitées à la veillée; ou dans les lieux publics, comme celles des *Mille et Une Nuits*. Mais une analyse de sentiment (d'abord de l'amour) ne se résume pas. Elle naît d'une opération de l'esprit porté à s'étendre, non à se resserrer. On tient pour lassantes les analyses orales minutieuses; et peut-être y a-t-il antinomie entre elles et la voix haute, comme si elle devenait indiscrète devant une assemblée. La différence entre *La Princesse de Clèves* et telles digressions consacrées par Madeleine de Scudéry aux sentiments de ses personnages, est une différence de talent, non de nature. Mais qui envisagerait de réciter l'analyse de Mme de La Fayette? On lira plus tard, en société, *Adolphe* et les *Mémoires d'outre-tombe*. Mais c'est Talma qui lira Chateaubriand : la boucle sera bouclée; la voix, au service du texte, qui avait cru l'imiter. La généralisation de la lecture silencieuse avait révélé très tôt la complicité de l'auteur et du lecteur, qui ne fut pas étrangère à la faveur du roman par lettres.

Complicité qui ne se limitait pas à l'analyse. Le roman français du xviie siècle se développe parallèlement au théâtre, et Corneille ne répugne pas toujours aux substitutions et déguisements de Mlle de Scudéry. Mais ce qu'un personnage vivant, en l'occurrence un acteur, peut exprimer des sentiments, même des siens, est bien différent de ce que peut en exprimer un auteur. *Andromaque* n'est pas la version théâtrale d'une autre *Princesse de Clèves.* Ne nous méprenons pas sur l'importance de l'enjeu. Souvenons-nous que Louis XIV ne supportait pas de lire lui-même un texte étendu : on lui rendait compte des notes qui résumaient " les affaires "; et, les nuits d'insomnie, il écoutait quelque lecteur comme les chambres des dames, cinq siècles plus tôt, avaient écouté les romans de Chrétien de Troyes. Mais les dames de Versailles, elles, lisaient Madeleine de Scudéry...

Le pouvoir révélé par le dialogue silencieux avec le livre aura des conséquences comparables à celles de la télévision, autre intimité. On ne lui fait pas confiance au xviie siècle, et les romanciers précisent avec soin par quelle voie leurs personnages ont été informés. L'univers de la lecture à voix basse devient néanmoins de plus en plus complexe, parce que la fiction échappe aux règles qu'elle prétend s'imposer, parce qu'on ne passe que par escamotage, du *Grand Cyrus* à *La Nouvelle Héloïse,* ou de *La Nouvelle Héloïse* au *Père Goriot.* Il ne s'agit pas de raconter d'autres histoires, de les raconter autrement; il s'agit de la découverte par le romancier, de son ubiquité, de son omniscience, de sa liberté, de l'autonomie de ses œuvres qui ne se limitent plus aux histoires et aux contes. Peu à peu, il découvrira l'existence de tout ce qui, dans le roman, n'est pas l'histoire contée.

C'est dans l'imaginaire du silence, que Balzac apporte au roman sa troisième dimension : dans l'imaginaire oral, elle s'appelait le théâtre.

Les histoires jouent, avec ce qui les raconte, un jeu spécieux. Nombre des plus grands romans pourraient être (parfois, furent) des faits divers ou des causes célèbres. Mais un fait divers, comme ceux qui le précèdent et le suivent dans la même colonne, implique

96

une orientation, une présentation, une nature. Appellerons-nous histoire l'intrigue du roman? Cette abstraction sera peut-être de même nature que le fait divers, non que *Le Rouge et le Noir*.

Le piège de l'esprit prend cette fois la forme du talent narratif. *Les Possédés* ne propose nullement une narration passionnante de l'affaire Netchaïev, au sens où *Les Trois Mousquetaires* propose une narration passionnante des *Mémoires de d'Artagnan*.

Le quotidien, le contraire du merveilleux, ce que Balzac appelle « le monde réel », quelque nom qu'on lui donne, nous paraît toujours *aller de soi*. Nous sommes assurés que l'imaginaire se définit par rapport à lui. L'interprétation doit partir du modèle. Or, la littérature, de même que la sculpture, commence par les dieux et non par les voisins. Le modèle de tout art réaliste n'est qu'un des moyens de l'artiste contre le style idéalisateur ou religieux qui précède le sien. Les loqueteux de Vélasquez ressemblaient à ceux qu'il peignait, mais d'abord à ses tableaux. Si Courbet, en pleine gloire de Zola, meurt sans successeur, peut-être n'est-ce pas faute de modèles. Non seulement le monde réel ne va pas de soi, mais encore sommes-nous soucieux de savoir d'où il vient. Pour pouvoir regarder Birotteau, Balzac avait dû régler ses comptes avec le théâtre et avec Walter Scott. Flaubert n'imite pas un modèle de Frédéric Moreau, qui n'en a pas; il désinfecte Balzac du romanesque.

Le dédain montré à Balzac par l'Académie ne doit pas nous masquer qu'en 1857, la révolution dont il se faisait gloire avait réussi; le règne de son imaginaire commençait. Peu importe qu'on lui oppose Eugène Sue. Mais non que Balzac se veuille, confusément d'abord, lucidement ensuite, l'auteur de *La Comédie humaine.* Car cette entreprise va jouer le rôle joué par *Le Cid.*

On a dit que *Le Cid* avait créé une forme, ce qui est ambigu, car, s'il annonce le son héroïque des pièces romaines, *Horace, Cinna,* il appartient par le décor aux pièces de Corneille qui l'ont précédé. Ce qu'il impose, c'est l'admiration pour la tragédie, la révélation de ce qu'une forme porte en elle — comme nous l'avons reçue des premiers vrais films, des premiers parlants, du *Kid* de Chaplin, du *Potemkine;* comme les

Toscans qui portèrent en triomphe les tableaux où leur Vierge se délivrait de Byzance. On lut *Le Cid*, mais il fallait l'avoir vu : il métamorphosait le théâtre.

L'opération de Balzac est moins visible, mais de même nature : il révèle un pouvoir. Il le connaissait par ses premiers romans? Non : il quitte ses pseudonymes. Il passera sa courte vie à l'affût de la métamorphose dont la mort comblera son œuvre. Aucun de ses romans n'est un *Cid*, mais *La Comédie humaine* l'est certainement. D'abord par son caractère mythique, pour nous comme pour lui. Quels lecteurs ont lu et admiré un roman-fleuve titré *La Comédie humaine* comme ils ont lu les romans-rivières, *Les Misérables* ou *Guerre et Paix?* Pourtant le monument n'est pas illusoire; Balzac s'y réfère sans cesse, nous y entraîne. Bien plus que par la réapparition des personnages (d'Artagnan aussi reparaît chez Dumas) l'œuvre vit de ses références, de sa société parallèle où Rastignac devient plus historique que Guizot, Vautrin, que Louis-Philippe. La fameuse rivalité avec l'état civil, fanfaronnade dans l'ordre de la création, trouve un grand sens dans celui de l'imaginaire. Contre le marché-aux-rêves du théâtre, il dresse le marché-aux-rêves de son Paris mythique. La scène avait été le piège privilégié de ce qui n'existe pas; le Paris de Balzac devient le lieu privilégié de ce qui existe presque. Les romans que nous avons maintes fois relus se passent dans *La Comédie humaine* que nous n'avons jamais lue d'affilée, se prolongent dans la province fascinée par sa capitale. Sous Louis-Philippe, on ne passait pas les descriptions de Balzac, on ne les tenait pas pour des descriptions, mais pour ce qu'elles sont : des personnages. Il écrivait alors, jusqu'à l'obsession : « La vie est un théâtre. »

On peut discuter de la supériorité de Vautrin sur son incarnation par un Frédérick Lemaître; on ne peut contester la supériorité de la pension Vauquer sur un décor. Ceux du théâtre n'ont que deux dimensions, malgré la profondeur de la scène; non seulement la pension en a trois, mais les personnages y sont plongés. L'imaginaire du décor est inséparable de la salle qui le regarde; le roman ne traîne pas de public avec lui. La description de l'ancien Palais de Justice d'*A combien l'amour revient aux vieillards* est inextricable, mais hantée, à la façon des dessins de Victor Hugo. Les scènes où s'affrontent Jacques Collin, Lucien de Rubempré, le juge Camusot; puis ce juge, le Procureur général et Mme de Sérisy, à mi-chemin du génie et du feuilleton, versent du côté du génie parce qu'elles ont lieu dans ce Palais fantastique et détaillé, parcouru de déguisés — juges, avocats, huissiers — comme les châteaux du roman noir le sont de leurs spectres. *Splendeur et Misère des courtisanes*, qui est à Balzac ce qu'*Une charogne* est à Baudelaire, et souvent proche de sa propre parodie, montre avec précision l'un des mécanismes de la création balzacienne. Le Palais ne vise pas à une transfiguration géante et monstrueuse, comme les égouts des *Misérables*, qui s'appellent Béhémot. Éperdument décrit, il existe de façon minutieuse et confuse, comme ces personnages que Balzac dessine trait pour trait, et dont nous ne verrions pas même la silhouette si l'auteur, au détour d'un paragraphe, n'en lançait sur le mur l'ombre à la Daumier. Le mythologique Vautrin n'a pas de visage, même avant de s'être défiguré pour devenir le chanoine Herrera, qui n'en a pas non plus. Mais le Palais donne à sa faune une existence ethnographique et convaincante comme celle du Paris qu'il juge. Lorsque Balzac a décidé de rejeter le passé (vague lieu costumé qui rivalisait avec la scène du théâtre, avec le temps où les bêtes parlaient), il a découvert un anthropomorphisme des lieux : ce Palais, les cellules du secret et celles de la Pistole, une maison, une chambre, sécrètent des personnages — et Dostoïevski s'en souviendra pour inventer la maison de Rogojine. Le lecteur entraîné par le Palais de Justice, par les interrogatoires, par Mme de Sérisy qui jette au feu les procès-verbaux, l'est à la fin par Vautrin, par le monde indissociable où Balzac croit à Vautrin *comme* il croit au Palais presque vrai — à la conjonction sans précédent de la fiction et de la réalité que le mot « roman » exprimera désormais.

Balzac inverse le sens du mot : société. Chacun appelait ainsi ses semblables, aristocratie ou bourgeoisie, et nullement Paris — préfiguré maintenant comme un monde du fantastique. Le milieu commun aux principaux personnages, qui jusqu'alors jouait un rôle englobant, devient englobé dans *La Comédie humaine*. A la mort de Balzac, survivra un monde qui n'est pas seulement celui de chaque grand créateur, Cervantès, Tolstoï ou même Dickens, mais encore une création autonome à l'égal de la Comédie Italienne, et surtout du roman historique venu de Walter Scott — l'immortel Walter Scott, avait écrit Balzac.

Ce roman auquel Alexandre Dumas donnera tant d'éclat, feint de traiter ses personnages imaginaires comme des personnages observés, ceux du passé comme ceux du présent. A l'exception des costumes, et de l'appartenance à ce passé qui n'est pas tout à fait l'histoire, mais dont l'histoire légitime le merveilleux. Il y a du Chat botté dans *Les Trois Mousquetaires*. Passé, costumes et décors jouent le rôle de la scène au théâtre; ils nous proposent un monde qui ressemble au nôtre mais ne se confond pas avec lui, un monde qui reconnaît les droits de l'imaginaire. Tout roman historique se passe « en ce temps-là ». Dans le sentiment admiratif qu'inspirèrent ces personnages, reconnaissons l'émerveillement, jadis éprouvé pour les héros des contes. Le roman historique se sert de l'histoire — pour nous peindre des personnages fictifs, comme s'ils ne l'étaient pas. De Walter Scott à *Notre-Dame de Paris,* au théâtre d'Alexandre Dumas, ce qu'on nomme roman historique est fort mal nommé. « Alors entrèrent les fées, en costume de l'époque... »

Notre temps, qui croit que la photo a toujours existé (ou à défaut, l'imitation) suppose que Walter Scott ou Alexandre Dumas projette dans le passé une mixture de contemporains. Mais ce passé préexiste aux personnages qu'il va baigner, comme la scène du théâtre préexiste à la pièce sur laquelle le rideau se lève. Le genre romanesque ne va pas de *L'Assommoir* à *L'Astrée,* mais de *L'Astrée* à *L'Assommoir.* L'histoire apporte à la fiction la crédibilité que ne dispense plus la féerie : les événements romanesques, mais aussi une relation entre le lecteur et les personnages, radicalement différente de toute relation entre les vivants.

Le romancier qui ne bénéficiait pas de l'irresponsabilité du conteur n'osait pas récuser la question : comment le savez-vous? Sa connaissance des événements était légitime, non celle des sentiments. A l'exception fugitive de quelques diables souleveurs de lucarnes, les deux solutions furent la biographie d'un personnage par qui sont vus les autres, et le roman épistolaire. Rousseau connaissait les sentiments de Julie, Laclos ceux de la marquise de Merteuil, parce qu'elles les avaient exprimés. Enfin, le romancier cessa distraitement de légitimer son roman. Ignorait-on que l'échange de lettres fût une convention? Élire domicile dans l'âme des personnages l'était bien davantage, mais le romancier s'y introduisait peu à peu. On découvrit empiriquement le cache-cache par lequel il habite ses personnages tour à tour; on passa de l'autre côté du miroir au bon moment, grâce au talent, non par méthode. Le roman y trouva sa nouvelle dimension.

Et davantage, lorsque l'auteur accepta les marges entre lesquelles s'agitaient ses personnages; comme s'ils eussent changé de généalogie, décidé d'ignorer Candide pour descendre tous du Neveu de Rameau — qu'ils ne connaissaient guère. Analyser est aussi frôler ce qui échappe à l'analyse; et ce tâtonnement devient si familier au roman, qu'il s'y reconnaît partout où il le rencontre, dans *Adolphe* ou *La Princesse de Clèves* autant que dans *Le Neveu de Rameau* — et aussi peu que dans *Candide*.

Surprenant carambolage métaphysique, car jamais on n'avait tenté de saisir l'homme, du dedans et du dehors à la fois. Le théâtre ne possédait que les moyens primitifs du monologue et de l'*a parte*. Comme lui, le roman épistolaire parlait à travers ses personnages. L'audio-visuel redevient primitif sur ce point, puisqu'il ne peut exprimer les siens que par l'action. Elle ne suffirait pas à exprimer Rastignac, quand Balzac « met à nu » sa partie immergée. Et il ne la cherche pas dans une imitation de sentiments, parce qu'il ne cherche pas dans une imitation de modèles, quoi qu'on en ait dit, la partie émergente. Rastignac ne sera pas le jeune Thiers ou le jeune Decazes idéalisé, mais un esprit errant qui devra sa réincarnation à ces politiciens, et à d'autres. D'Artagnan devait à son épée et son chapeau à plumes d'être simultanément un vivant, et un héros au sens de la Fable. Or, la révolution balzacienne, inintelligible si nous partons de modèles supposés, vient de ce que « *Balzac éprouve, en face de personnages qu'il veut réels, les sentiments que tous ses prédécesseurs éprouvaient pour des personnages qu'ils voulaient fictifs* ». *César Birotteau,* histoire d'un parfumeur, achevé, le lecteur doit penser : histoire du Napoléon de la parfumerie. S'il n'en va pas ainsi de tous les personnages, il en va bien ainsi de *La Comédie humaine.* Ce n'est pas à l'état civil que Balzac fait concurrence, c'est à *L'Iliade.*

Sa révolution triomphe quand elle parvient à incarner la colère d'Achille dans l'ambition du futur duc Decazes. Non quand il peint, mieux qu'un autre, un Decazes imaginaire, qui n'est pas plus le ministre que Vautrin n'est Vidocq.

Son obsession de Napoléon va plus loin qu'il ne croit, parce que ses personnages sont ordonnés par la passion qui règne sur toutes les autres : l'ambition. Ressentir comme un monde d'ambition ce qui allait devenir le siècle de l'individualisme, était lui donner son âme plus sûrement qu'en s'exténuant à suivre un plan de Danaïdes; et d'autant mieux que le personnage qui nourrira de façon proclamée ou secrète l'individualisme, depuis Stendhal jusqu'à Dostoïevski, est précisément Bonaparte.

VI

AVENTURES DE L'IMAGINAIRE

Sainte-Beuve détestait Balzac. N'en retenons que la raison la plus simple et la plus profonde : sa valeur suprême était le niveau de civilisation exprimé par la littérature. Mais on étudie l'article qu'il a consacré à *Madame Bovary* comme si, la vie d'Emma Bovary existant à la manière d'une biographie, Flaubert avait interprété cette biographie avec plus de talent littéraire que ne l'eût fait Balzac. Alors qu'entre les premiers textes consacrés par le critique à Balzac, et son étude de *Madame Bovary*, s'est insensiblement produite une des révolutions de la littérature européenne : avec la même banalité que des nuages deviennent pluie, tels facteurs de récit, de vérité, de fiction — la durée aidant — sont devenus l'imaginaire de roman. La méthode ordinaire des critiques d'alors est la comparaison, et on peut comparer Frédéric

Moreau à Rubempré, mais à qui comparerait-on Rubempré, sinon à Rastignac? Et *Les Illusions perdues?* A *La Nouvelle Héloïse,* aux *Liaisons dangereuses,* aux biographies imaginaires anglaises, *Robinson* ou *Tom Jones?* Pourquoi pas à *Don Quichotte?* En fait, la comparaison avec le roman noir et Walter Scott devenue aussi vaine devant *Les Illusions perdues* que devant *Le Père Goriot,* on en avait établi une autre, avec la littérature dite inférieure; comme aux États-Unis, lorsque parut *Sanctuaire,* entre Faulkner et les auteurs de romans policiers. D'où « le Pigault-Lebrun des duchesses ». Les grands genres existaient encore, et, de même qu'en peinture, se définissaient par leurs sujets. Balzac avait-il anobli le roman? Sainte-Beuve, s'il eût reconnu dans *Le Père Goriot* un roman excellent, n'y eût pas pour autant reconnu un bon livre. Le roman policier ne fait pas partie de la littérature. On acceptera mal Eugène Sue, pas du tout Paul de Kock. Mais les habitants d'Yonville ne disqualifient plus le livre de Flaubert, le talent de Flaubert fait accéder à la littérature le roman d'Yonville, de son officier de santé et de son pharmacien. *Madame Bovary* est-il une œuvre d'art, ou non? *Le Paysan parvenu* ne l'était pas. Même pour Restif.

Au temps de Flaubert, la critique ne se trouve plus devant un nouveau genre romanesque, elle reconnaît la légitimité d'un nouvel imaginaire. Ce domaine, qui n'appartient plus en propre à Balzac, bénéficie pourtant de ce que Balzac a pris sa stature : le temps, la complexe métamorphose de la mort, le séparent d'Eugène Sue comme de Pigault-Lebrun; le genre romanesque reconnu, le niveau d'esprit de Balzac (dont on ne parlait pas lorsqu'on se référait à la littérature non romanesque, Pascal, Montesquieu ou Voltaire) devenait peu commun, en référence à la fiction. Le roman grandissait Balzac, qui grandissait le roman. Pourtant, lorsque Baudelaire et Victor Hugo exaltaient son génie visionnaire, ce génie symbolisait encore couramment l'entrée de la photographie dans la littérature, par une confusion sans précédent entre l'imaginaire et la réalité.

Les Misérables paraîtra cinq ans après *Madame Bovary* : Victor Hugo a donc mis vingt ans pour affronter Balzac. Il le fait comme s'il ne tenait aucun compte de la nouvelle école, qu'il connaît fort bien. Ses romans antérieurs montrent à l'évidence, que *Les Misé-rables* naît dans l'imaginaire auquel Balzac a donné droit de cité. Mais la relation entre cet imaginaire et ses habitants oppose immédiatement le génie épandu de Hugo et le génie inextricable de Balzac. La part mythologique de *La Comédie humaine* s'efface devant un livre qui est la mythologie même. Les combats avec les policiers de Balzac deviennent des intrigues (vraies...) en face de l'affrontement manichéen de Javert et de Jean Valjean; les curés de Balzac, des fantômes retors en face de Monseigneur Myriel. On voit Victor Hugo créer ce dernier par ondes successives, comme il crée ses longs poèmes par strophes; les ondes, portées par un même courant, aller toutes dans la même direction : de trait en trait, le caractère s'élève jusqu'à se perdre au plus haut, non de la création romanesque, mais de la création poétique : « Je sens mon profond soir vaguement s'étoiler... » Malgré les personnages noirs, le faisceau converge dans l'ineffable, alors que sous l'épanouissement de tant de fusées et de soleils, *La Comédie humaine* garde la force avec laquelle la Seine ordonne l'enchevêtrement d'un plan de Paris. Le roman se déroule d'ailleurs dans le Paris mythique inventé par Balzac, et dont Hugo transfigure les égouts en Léviathan, sans échapper au grondement d'Océan qui orchestre tout son livre. Ces égouts débordent la ville jusqu'à des profondeurs bibliques, comme Jean Valjean dépasse l'homme, mais le perd. Ce qui, dans *Les Misérables*, échappe aux sépias fantastiques de Hugo, vient du Balzac qu'aurait dû illustrer Daumier : magistrats, Robert-Macaire, avocats, grisettes et recors; mais l'imaginaire hugolien rejoint l'Olympe du Satyre, le désert de Booz — enfin délivré du pittoresque médiéval par le droit de transfigurer des contemporains. L'écho de cette Neuvième Symphonie emplira l'Europe, car les innocentes prostituées de Dostoïevski se souviennent de Fantine (et d'Eugène Sue...) non de la Torpille. Mais Dostoïevski traduira *Eugénie Grandet*, Tolstoï, achevant *Guerre et Paix*, se demandera « si c'est aussi bien que Balzac ». Pour eux comme pour nous, l'imaginaire des *Misérables* appartient à l'épopée plus qu'au roman, parce que le mot roman implique la relation de personnages avec le monde *fermé* que désigne un titre (Natacha se réfère à *Guerre et Paix* comme

Rubempré aux *Illusions perdues* et même à *La Comédie humaine*) ou celui qui appartient au romancier à travers ses romans successifs. Ivan Karamazov s'apparente à Stavroguine, voire à Raskolnikov, comme Rubempré à Rastignac, dans un monde dont l'imaginaire ne se perd jamais, comme celui de Victor Hugo, dans l'immensité sombre où paraissent les étoiles. Tolstoï veut que le prince André appartienne, par *Guerre et Paix*, à la poésie éternelle; Dostoïevski veut que tous les Karamazov appartiennent au roman qui porte leur nom — et Flaubert veut que le pharmacien Homais appartienne à *Madame Bovary* : chaque personnage, à l'imaginaire particulier qu'il contribue à créer et dont il est inséparable. Ni au poème, ni au monde de « ceux qui nous entourent », et où il ne trouve son modèle que lorsqu'il en est délivré : lorsque le pharmacien de Flaubert, cessant de se rapporter aux habitants du village de Ry pour se rapporter à ceux de la fictive Yonville, devient Monsieur Homais. Monsieur Homais, Aliocha Karamazov, le prince André : non un partenaire des constellations de Booz.

Comme le peintre suggérait la profondeur par

la perspective, le romancier suggère cette complexité par la relation constante et particulière des personnages entre eux et avec le roman. Ils l'animent comme les figures animent le cadre de fenêtre des primitifs flamands, et il les enveloppe comme l'ombre ou la perspective englobe ceux des tableaux; nullement comme les dessinait un conflit sentimental, une aventure, ou la biographie supposée du personnage principal. Or, cette perspective, cette ombre, n'existaient pas avant Balzac. L'histoire, dans le roman historique, jouait un rôle inverse, hérité du théâtre. C'est parce que Balzac, le premier, avait donné à un réel cohérent les valeurs de l'imaginaire, qu'il avait rendu possible ce que la critique appelle aujourd'hui texture du roman.

Flaubert la conserve. Mais à supposer qu'il se soucie d'effacer Dumas père, serait-ce en tant que précurseur d'un Zola qui n'existe pas encore, en tant que Courbet littéraire? Bien plus qu'à une soumission photographique, son réalisme distrait nous fait penser à celui de Vélasquez. Dès la publication de *Madame Bovary*, le réalisme intrigue : « Puisque réalisme il y a... » écrira Baudelaire, de la peinture; son article sur Flaubert montre qu'il eût pu l'écrire du roman.

Flaubert peint ses contemporains, ce qu'avait presque fait Balzac. En écartant toute transfiguration visionnaire, et surtout, la connivence avec certains personnages, qui enchante Balzac. Pas de Rastignac, pas de Vautrin. Balzac anime son roman du dedans, Flaubert compose le sien du dehors. La rigueur de ses paragraphes lui interdit la narration endiablée du romantisme et du feuilleton. L'écart qu'il conserve entre ses personnages et lui, la nature d'objet de *Madame Bovary* (comme des tragédies de Racine, et à quoi revient périodiquement la littérature française) le séparent de ce que le mot réalisme implique alors de polémique ou de mineur. On le tient pour un éminent styliste. En publiant *Salammbô*, roman parnassien, néanmoins plus proche des *Martyrs* que de *Notre-Dame de Paris*, et paré de la valeur littéraire que l'on accorde au passé (Carthage bénéficie confusément de Médée...), il prouve que son réalisme normand exprimait un dessein proprement artistique. Ce qui est vrai par sa volonté de styliser, mais surtout par sa relation, bien étrangère à Balzac, avec sa bibliothèque. Il examine l'humanité dérisoire du haut d'un dialogue avec les grands morts, seule légitimation de la vie. Nul ne s'y tromperait, s'il n'avait écrit aussi ses œuvres décoratives et parnassiennes. Elles donnent aux arts plastiques une place usurpée. Malgré la *Tentation* de Bruegel ou de Callot, Flaubert ne fut marqué par aucun autre art que la littérature, *Hérodias* et *Salammbô* le proclament : de toute l'antiquité, il choisit les civilisations qui ne nous ont pas laissé d'images. Le passé ne lui est d'ailleurs pas nécessaire pour se séparer des hommes : il a créé dix personnages contemporains de premier plan — tous, avec dédain ou mépris. Imagine-t-on une *Comédie humaine* où Balzac n'admirerait personne? Emma Bovary, peu intelligible à travers Mme Delamare, Louise Colet ou d'autres, devient la clarté même à travers *Bouvard et Pécuchet*. Flaubert a écrit ce livre toute sa vie.

Il refuserait avec colère le titre dont se glorifia Balzac, que souhaite encore Zola : « secrétaire d'une société ». L'abjection des sociétés n'est sauvée que par leur littérature, car la création littéraire n'exprime pas les hommes, elle les dépasse mystérieusement, même quand elle les raille. Son amitié pour Théophile Gautier concerne le décorateur de *Salammbô*. Il n'a pour auteur de chevet, ni Racine ni Victor Hugo, mais Cervantès. Sa technique ne vient pas de sa façon d'observer; sa réprobation de l'humanité ne lui permet de composer que les œuvres complètes de saint Antoine.

L'Académie a écarté Balzac, écartera Zola. Sans doute l'accueillerait-elle, s'il s'y présentait. C'est avec lui, nous l'avons vu, que le roman accède à la littérature. Or, les romanciers naturalistes, anti-académiques forcenés, trouveront en lui leur père, alors que Balzac restera pour eux un maître suspect. C'est que la relation entre l'œuvre et l'auteur s'est inversée.

Les principaux personnages de Balzac sont des personnages VALORISÉS. Peu importe par quelle passion, quelle biographie : ils le sont d'abord par l'action qu'ils exercent sur Balzac. Ceux de Flaubert sont sans action sur lui. Nous pourrions voir en eux, et d'abord en Emma Bovary, des personnages de Balzac dévalorisés; dans *L'Éducation sentimentale*, un cycle Rubempré glacé, une épopée napoléonienne vue à travers un Waterloo sans Fabrice. La fiction de *La Comédie humaine* émerveille Balzac; pour tout dire, elle l'épate. Ses duchesses, ses ministres, ses ambitieux le snobent d'autant plus qu'il a conscience d'en être le démiurge. Il a créé des duchesses-de-Balzac, archiduchesses que Napoléon n'eût pu faire (Dieu non plus). Il ne peut limiter le réel au réel; d'où sa naïveté, qui fait partie de son génie. Son « Napoléon de la parfumerie » est aussi le plus convaincant parfumeur de la littérature. Imaginons Homais en Birotteau, Emma en Cousine Bette, en Madame Marneffe — faisant décorer Charles, empoisonnant Homais!

La fiction de *L'Éducation sentimentale*, de *Madame Bovary* n'émerveille pas Flaubert. Même Bouvard ne croit plus aux « hommes forts qui viennent du bagne ». De quelle voix Frédéric Moreau reprendrait-il le « A nous deux, Paris! » de Rastignac? Mais la fiction flaubertienne n'apporte pas une photo de la Normandie, elle apporte l'envers de *La Comédie humaine* : Flaubert est le Cervantès de ce Don Quichotte. Alexandre Dumas ne s'écrie pas : « Si maintenant c'est ça, la littérature, nous sommes fichus! » devant Balzac (qu'il admire), mais

118

devant *Madame Bovary.* Pour lui, les romans de Flaubert n'ont pas d'auteur.

Car en créant *La Comédie humaine,* Balzac en crée l'auteur, qui n'est pas Honoré. C'est un colosse perspicace, physiologiste, médium, auquel princes, parfumeurs, filles et forçats sont également familiers; nous le décelons au ton de sa voix (qui appelle le pastiche), comme nous devinons les autoportraits des peintres à leur regard vers le miroir. Stendhal aussi appartient à la race des perceurs-à-jour. « Un homme d'esprit, diplômé en désinvolture, chasseur de bonheur, fuyant les êtres plats. » Zola est un savant; Dostoïevski, un staretz. Flaubert aurait-il chassé de son œuvre cet opiniâtre jumeau? Il en a fait ce qu'après lui, on nommera parfois l'écrivain. Jamais complice d'un personnage : libre, par vocation, du savant comme du bagnard. D'où l'absence de personnages « positifs », car ils naissent de la complicité de leur créateur. Mais *L'Éducation sentimentale* n'est pas plus écrite par l'auteur de sa correspondance débridée, que *Le Père Goriot,* par Honoré. Parfois Honoré, Gustave ou Henri Beyle, finit par ressembler à son ectoplasme. Nul ne confond Ludwig avec Beethoven — parce que Ludwig ne s'adresse pas à ses interlocuteurs en chantant, alors que l'écrivain parle. Le romancier a créé le roman, mais la réciproque est vraie.

La marque sociale imprimée par Balzac (au sens de la marque de Vautrin), me semble spécieuse, malgré la caution de Marx. Il se veut anthropologue, spécialiste de la duchesse comme de l'usurier. Ne met-il pas sa valeur d'entomologiste au service du capricorne et de la cétoine? Comme c'est intéressant, les mœurs de ces peuples étranges! Gobseck, Goriot ou Coralie, quand les « femmes naturelles » commencent aux marquises! Avec une exception pour le personnage cher à son cœur, mobile joker de son jeu de cartes : l'ambitieux. L'auteur de *La Comédie humaine* n'est pas simplement snob, comme Honoré. Mais il pratique volontiers des valeurs de comédie, lie une convention sociale à une convention romanesque. Et Flaubert, en écartant les deux, rompra moins avec une romanesque Restauration, qu'avec ce qui fait parfois de *La Comédie humaine* la secrète cousine de la Comédie Italienne. Il ne se laissera pas prendre à l'objectivité des répertoires...

Pourtant il a hérité, de l'autre face de Balzac,

l'indépendance de la scène à l'égard du récit, parente de celle du poème à l'égard de son sujet. La réussite qu'il appelle art ne se confond pas avec l'exécution, avec des qualités seulement littéraires; elle évoque plutôt une magie où la description se perdrait dans son accès à un autre monde, grâce au pouvoir d'éprouver une réalité comme irréalité. La fête chez Rosanette, dans *L'Éducation sentimentale*, ne se limite pas pour Flaubert à une réussite, à un " morceau "; elle s'apparente aussi à la dérive des petits nuages de Tolstoï, ou à *La Mort des amants* :

> *Et plus tard un ange, entr'ouvrant les portes,*
> *Viendra ranimer, fidèle et joyeux,*
> *Les miroirs ternis et les flammes mortes.*

La relation de *L'Éducation sentimentale* avec la poésie est aussi forte que celle de *La Fille aux yeux d'or*, des œuvres les plus insolites de Balzac. Mais ne croyant pas à une autre *Comédie humaine*, et ne croyant plus qu'un grand roman naisse de grands personnages, Flaubert veut que les bons personnages naissent des grands romans.

L'Académie légitime donc le roman, au temps où le plus grand romancier de sa génération semble dédaigner l'imaginaire; et d'autant plus curieusement, que ce romancier s'y vautre (qui dit mieux que *Salammbô?*) lorsque le passé le protège. Son action sur l'imaginaire est négativement capitale : celui qu'avait prodigué Balzac bifurque après *Madame Bovary* malgré *Les Misérables,* malgré les Russes. Flaubert ne l'attaque pas, ne proclame pas la supériorité de Frédéric Moreau sur Rastignac, ni même sur Mâtho; les héros de *Salammbô* ne sont d'ailleurs pas ses personnages, mais le défilé de la Hache ou les jardins d'Hamilcar. La prééminence de *L'Éducation sentimentale* ne sera pas proclamée avant les romanciers naturalistes — au cours d'une curieuse aventure de l'esprit.

On ne peut mieux voir l'imaginaire se jouer des romanciers. Au nom d'un même principe, ils vont exalter la littérature entomologique, et le Zola forgeron de *L'Assommoir* et de *Germinal.* Les uns revendiquent une fidélité photographique, appliquée surtout à des scènes : tranche de vie égale chapitre. Illusion moins forte qu'en peinture, parce qu'un réalisme rigoureux devrait, comme l'avait prévu Flaubert, abandonner le récit. Mais en littérature comme dans les arts plastiques, l'illusion repose sur le préjugé que l'œuvre reproduit le modèle. Les naturalistes se savaient si bien liés par le récit à la tradition du roman, que les plus radicaux, espérant détruire le sujet, rêvaient d'opposer à Zola un roman qui eût rapporté la journée d'un homme sans intérêt, occupé à mettre son vin en bouteilles. Le roman ne fut pas achevé. Les œuvres des membres les plus intransigeants des mouvements littéraires restent souvent inédites.

En face de ces entomologistes, qui proclamaient le refus de tout imaginaire, le naturalisme appelait la peinture fidèle d'une collectivité encore presque absente du roman : les ouvriers.

« Vous dites que nous ne devons pas peindre Coupeau parce que cette peinture n'a pas de valeur littéraire, alors que vous la rejetez parce qu'elle sera nécessairement accusatrice. » Le naturalisme de Zola apportait un imaginaire très différent de celui de Flaubert. Il n'avait pas l'art seul pour fin. On ne pouvait plus y voir un exotisme, comme dans celui d'Eugène Sue ; il introduisait une relation sans précédent, celle de l'homme avec l'atelier. Enfin, choisir des ouvriers pour personnages de roman, même au nom de tous les naturalismes possibles, leur apportait l'irréalité fondamentale de la fiction, et les classes sont égales devant l'imaginaire comme les âmes devant Dieu. Pour lamentables que fussent Coupeau et Gervaise, ils n'en inspiraient pas moins une pitié différente de celle qu'avaient inspirée les enfants martyrs de Dickens, car la seconde appelait la charité, et la première, la justice. Bien entendu, toutes les confusions s'établirent : on *dut* peindre le prolétariat ou l'ignorer, et Zola rivalisa dans l'épique avec Victor Hugo, au nom de la photographie. Il reste qu'une nouvelle fiction était née, moins " impartiale " que celle de Flaubert, mais plus fraternelle. C'est pourquoi les Goncourt perdaient leur temps à dire que Zola leur avait tout pris : l'imaginaire auquel appartient une sage-femme n'est pas le même que celui auquel appartient une mine de charbon. Ces imaginaires n'avaient, en commun, que de se proclamer tous deux réalité. Mais Zola peint Coupeau contre Jean Valjean, et *L'Assommoir* contre *Les Misérables*.

Il ne s'y trompe pas, puisque, malgré sa dette envers Flaubert, il proclame que le naturalisme succédera au romantisme. Aucun romancier n'écrirait *L'Assommoir* en regardant Coupeau, de même que nul berger n'est devenu Giotto en regardant ses moutons. Même en ayant potassé (selon Goncourt) *Le Sublime* de Denis Poulot, et *Germinie Lacerteux*. Mais *L'Assommoir*, c'est Coupeau plus l'auteur? Nul ne l'affirme plus haut que Zola : l'art est l'expression de la nature éternelle, par un tempérament mortel; tempérament d'abord. Nous verrons les limites de toute conception de l'art comme interprétation. Mais nous commençons à comprendre, la métamorphose aidant, que pour passer d'un spectacle à un roman, il faut changer de références. Coupeau et Gervaise ne se référeraient qu'à la vie, Zola ne se réfère pas qu'à elle. Ce que le pugilat comique des romanciers naturalistes avec le théâtre leur enseignera jusqu'à l'ironie...

Le romantisme avait été une doctrine de théâtre. Or, pour les naturalistes, le théâtre, instrument privilégié de la fiction, était l'ennemi même; et beaucoup plus par leur conception ou leur recherche de l'homme, que par les acteurs et les décors. Au sens où tout réalisme pictural naît contre une idéalisation, le réalisme littéraire, le naturalisme plus encore, étaient nés contre le personnage théâtral. Pas seulement romantique ou classique; au cœur de l'homme, l'appel de tout réalisme était destructeur de celui du théâtre, aboutissait au roman. D'où le constant échec de ces réalismes au théâtre, à commencer par celui de Balzac et continuer par celui de Flaubert; alors que celui de Tchekhov, dépendance de la poésie, y réussit à merveille. Le théâtre contraignait à son réel le réalisme, qui vivait de son propre imaginaire. Ce n'est pas faute de talent, si Zola n'a pu tirer une bonne pièce de *L'Assommoir*, même aidé par le tâcheron à succès, Busnach. Ce roman, parfois aussi visionnaire que *Germinal*, avait été créé contre la part de théâtre que tout homme porte en lui. La vie parisienne aidant, ces échecs emplirent la fin du siècle, et le *Théâtre Libre* diffusa son art de masses dans des salles d'esthètes. Les nouvelles batailles d'*Hernani* ne devaient pas plus se livrer pour les Goncourt que pour Dumas fils, mais bien pour Ibsen. Petites batailles : horions. Car la promotion du roman au rang d'art majeur avait mis fin à la royauté du théâtre — où l'image de l'Homme se jouait depuis Shakespeare et Corneille.

Le roman a si bien partie liée avec l'imaginaire, que lorsque la France se lassera du naturalisme, elle se lassera du roman lui-même. A
Paris, les grands écrivains officiels ou latéraux :
Anatole France, Loti, Barrès, puis Gide, ne sont
plus qu'épisodiquement des romanciers. Aucune
aventure de l'imaginaire ne touchera le roman
français jusqu'à Proust. Le « niveau de civilisation » serait une fois de plus vainqueur de la
fiction, si le roman ne poursuivait en Russie
un destin éclatant. Gorki m'a décrit Anatole
France chez quelque grande-duchesse, son long
visage chevalin, désabusé de tant de race et
de tant de courses gagnées : « Il souriait dans
l'embrasure d'une fenêtre, comme s'il venait du
dehors, de loin — de la civilisation... » Tolstoï
et Dostoïevski, Chtchédrine même, croient
créer dans un imaginaire qui leur préexiste;
Tolstoï se réfère nommément à Balzac. Pourtant il s'agit d'un imaginaire où Balzac,
Dickens, Flaubert rassemblent ces génies diver-
gents qui les mêlent. Et auxquels s'ajoute, en
Russie comme en Europe occidentale, la résurrection de Stendhal.

On voyait alors en Paul Bourget, « le seul romancier français qui écrivît des romans », le prochain vainqueur du naturalisme; il consacrait deux chapitres d'un même livre d'essais, l'un à Baudelaire, l'autre à Stendhal. Et Stendhal ne reparaissait pas, il paraissait. Car il semblait s'insérer dans le monde romanesque de Balzac — Julien Sorel en tant que Rastignac, bien qu'il lui soit antérieur de quatre ans; mais par Balzac, la relation de la critique avec le fait romanesque avait changé de nature : elle avait cessé d'être fondamentalement *morale*. Lors de la publication du *Rouge et le Noir*, en 1830, Jules Janin avait écrit dans *Le Journal des débats* : « L'auteur promène avec un admirable sang-froid son héros, son monstre, à travers mille turpitudes, à travers mille niaiseries pires que des turpitudes... La partie remarquable de ce roman est le séjour de Julien au séminaire. Ici l'auteur redouble de rage et d'horreur, il est impossible de se faire une idée de cette hideuse peinture; elle m'a frappé comme le premier conte de revenants que ma nourrice m'a conté... Un auteur ainsi fait, corps et âme, s'en va sans inquiétude et sans remords, jetant son venin sur tout ce qu'il rencontre, jeunesse, beauté, grâces, illusions de la vie; les champs même, les forêts, les fleurs, il les dépare, il les brise... » Si bien que la découverte de Stendhal fut à la fois celle d'un frère de Balzac, et d'un analyste immunisé contre le péché balzacien, c'est-à-dire contre l'héritage qui reliait Balzac à Zola. Un romancier pouvait donc n'être pas réaliste, sans être le contraire? Et comment le public si distingué de Paul Bourget (souvent, d'*Anna Karénine*), n'eût-il pas exalté une analyse de l'amour aussi délicate que celle de *La Chartreuse de Parme*, alors qu'on mettait si haut l'analyse, l'amour et la délicatesse? De même que Coupeau était né contre Jean Valjean, Stendhal ressuscitait contre Zola.

Souvenons-nous de Flaubert : « Je n'ai jamais rien compris à l'enthousiasme de Balzac pour un semblable écrivain, après avoir lu *Le Rouge et le Noir*. [...] Mal écrit et incompréhensible, comme caractères et intentions. » En un temps où l'Europe admirait avant tout, dans le roman russe, sa révélation de la pitié (donc, l'héritage de Dickens), la découverte de Stendhal allait nourrir l'imaginaire énigmatique qui gouvernait la fiction européenne, car le roman allait désormais accepter sa part d'énigme. Sous les influences divergentes de la *Chartreuse*, de l'*Éducation*, du roman anglais postérieur à Dickens et du roman russe, la fiction allait perdre son dernier lien avec le théâtre : les personnages allaient y remplacer les caractères.

Derrière tant de Cousines Bette et tant de Homais, se dresse l'ombre de Molière, qui obséda Stendhal. Ce que les Français nommaient traditionnellement roman, Zola compris, c'était ce qui appelait Daumier.

Molière, Balzac, sont peut-être nos gloires les moins contestées. On crut voir encore en Jean Valjean et en Javert des caractères; les flammes des *Misérables* projettent des Daumiers démesurés. L'Afrique noire découvre Molière avec une admiration véhémente — mais elle a toujours aimé les masques.

Le roman appelle caractère un type humain animé par une passion majeure et constante; un masque de l'âme. L'Avare est cousin éloigné d'Arlequin. Ses actes, même difficilement prévisibles, ne doivent point surprendre. Il écarte l'irrationnel, auquel le personnage devra tant. La vie ne le modifie guère.

La différence entre la création d'un personnage et celle d'un caractère fut presque aussi grande qu'entre une pièce et un roman. L'auteur avait dirigé plus ou moins rationnellement les caractères qu'il créait. Il dirigeait aussi les personnages, bien qu'on affirme aujourd'hui leur indépendance, jusqu'au ridicule. Sans doute un romancier n'imagine-t-il pas mieux ce que deviendra le roman qu'il entreprend, que Picasso ne voit, fini, le tableau qu'il commence. Mais « Tout de même, ce sera un tableau, et carré, non? ». Le roman gratuit est un genre littéraire, à l'égal du journal intime; et l'on a touché les limites de sa liberté aussi vite que celles de la convention. L'aléatoire limité des personnages délivra le romancier de nouvelles règles, le fit miser sur la contagion de son œuvre et l'accord secret du lecteur, comme le peintre. Et maints cousins Pons appartiendraient peut-être à la friperie, si le génie visionnaire de Balzac n'avait imposé l'ambitieux, qui allait enivrer l'Europe à la suite de Napoléon. Avec lui, Balzac et Stendhal découvrent simultanément un personnage à peine dégagé du caractère, qui devient le théoricien de sa passion. Balzac ne serait pas Balzac s'il ne confiait à Vautrin, le plus irréel de ses héros, la redoutable éducation de Rastignac et de Rubempré. Harpagon proposait-il une théorie de l'avarice? Le seul ancêtre de l'ambitieux est un autre conquérant : le séducteur, don Juan. Et la théorie de la séduction, comme de l'ambition, se prolonge en propagande. Harpagon n'était pas contagieux, alors que Rastignac donnera son nom pour pseudonyme aux adolescents romanesques de Varsovie et de Saint-Pétersbourg, et que sa semi-doctrine réincarnera Napoléon dans l'individualisme.

Pourquoi le cinéma ne parvient-il jamais à traduire le monde de Balzac, ni ses personnages principaux? C'est que ses monomanes ne se limitent pas à des caractères. Sa conception des caractères rejoindrait celle de Molière si ceux de Molière devenaient fous. Qu'est-ce que la cassette à laquelle l'avare sacrifie quelques victimes au passage, auprès de la haine, la luxure, l'ambition surtout, qui donnent aux actes une invincible et silencieuse éloquence! Que deviendrait le baron Hulot, limité à un caractère, et privé de la boulimie stupéfaite de

Balzac devant la vie, qui supporte mal l'incarnation, parce qu'elle ne se rassasie que de sa transfiguration en imaginaire? Le caractère rétrécit le personnage...

Peut-être la familiarité des romanciers avec les personnages permit-elle le déploiement du roman russe; le passage de Gogol, romancier de caractères comme Balzac, à Tolstoï? D'autant plus que la fiction russe tenait pour négligeables les types de l'homme-supérieur européens, notamment le savant athée. Tolstoï, Dostoïevski, ne regardent ni la société bourgeoise ou aristocratique, ni la classe ouvrière (à peine née, en Russie) avec les yeux des romanciers d'Occident; ils ne tiennent pas leur imaginaire pour une réalité, pour la réalité. Tout les en écarte, et d'abord l'éclairage qu'ils imposent au roman : celui de la spiritualité.

Le chemin qui va de Rastignac à Raskolnikov n'a rien d'obscur; mais après Raskolnikov, Dostoïevski va subordonner de façon décisive le caractère au personnage, proclamer les droits de l'irrationnel et de l'impulsion, faire habiter ses héros par des démons à transformations, depuis l'idée fixe de Kirilov jusqu'à la charité suprême d'Aliocha. La fascination a laissé, dans ses *Carnets,* sa traînée de sang; il ne se soucie pas de créer des porte-parole, même lorsque Stavroguine ou le Grand Inquisiteur parle en son nom — mais bien de créer, entre des idées et des personnages qui l'obsèdent, la relation passionnelle qu'avait créée Balzac entre l'ambition et ses ambitieux, et que l'Europe avait abandonnée. Dostoïevski connaît l'accent brûlant que toute pensée religieuse apporte à un personnage — et s'il ne dispose pas du prestige que Rastignac tenait de Napoléon, il dispose de celui que Muichkine tient du Christ.

Il pourrait s'en passer. Bien que *La Mort d'Ivan Ilitch* soit un roman chrétien dans son essence, Tolstoï jauge les « hommes forts » de Paris ou de Londres sans recourir à l'Évangile. On ne peut guère voir Julien Sorel et Rastignac des mêmes yeux, après qu'on a vu Raskolnikov. Il ne s'agit pas de la pratique de la foi, commune dans le roman occidental : il s'agit bien de la mise en question du réel et de l'imaginaire par la Vérité. La Vérité du Christ, mais aussi le malaise planétaire des esprits religieux devant le " siècle ", la distance, la stupéfaction fugitive devant la vie (si rare dans la littérature française) que l'Ancien Testament avait transmise à Shakespeare, Shakespeare à Faust. L'Europe amputait *Les Possédés* et les *Karamazov*, ne publiait guère les récits de Tolstoï qui font de toute vie condamnée, donc de la vie humaine, leur sujet propre. Mais l'Europe verrait-elle longtemps dans Anna Karénine un personnage de Bourget, hélas confus? Croirait-elle toujours que l'idée de l'amour formée par Tolstoï, l'une des plus tragiques de la littérature, fût née de réflexions sur les adultères mondains? Que le staretz Zosime, le Père Serge, fussent des Curés de Tours? Que la vie fût ce que nous voyons, ce que nous imaginons? Il faudrait bien découvrir un jour que le grand roman russe, c'est le roman européen regardé par la mort.

VII

LA PARTITION

Alors on pressent que le monde du roman, russe, anglo-saxon ou français, constitue un imaginaire particulier. Dont la culture occidentale doit la conscience — subie, non choisie — d'abord, à la remarque chagrine que le monde de Dostoïevski n'est pas celui de Balzac « éclairé autrement »; et plus tard, à la mise en question radicale de tout récit écrit, par le récit filmé. Tout se passe, au début de notre siècle, comme si l'Occident découvrait qu'il s'est toujours mépris sur la fiction.

Flaubert avait lu à ses amis la première version de *La Tentation de saint Antoine*. Ils l'avaient jugée mauvaise et déclamatoire. « Tu devrais te mettre à écrire l'histoire de la femme de Delamare. » Fait divers local, auquel *Madame*

Bovary sera ce qu'est *Le Rouge et le Noir* au procès du séminariste Berthet. Peu importe; mais que Bouilhet, Maxime Du Camp et d'autres, écrivains de profession, aient décidé que Flaubert avait écrit *cette histoire*, doit nous retenir.

Les conversations qui suivirent sa lecture montrent d'ailleurs que dans l'esprit de Flaubert, le suicide de Mme Delamare n'est pas initial, ni déterminant. La première conversation n'a pas porté sur les événements qui ont troublé, frappé l'imagination de ses amis, naguère ou ce jour-là; elle n'avait point pour origine l'intention de raconter une histoire, mais l'intention de créer un roman. « D'abord, confiera-t-il plus tard aux Goncourt, ça devait être, dans le même milieu et la même tonalité, une vieille fille dévote et ne baisant pas. »

Des mois durant, il s'est trompé : *Saint Antoine* est mauvais. Quel autre recours contre cet arrêt du destin, que de commencer incontinent un autre livre? La volonté d'écrire est clairement antérieure à celle d'entreprendre ce récit. Antériorité qui ne va pas sans conséquences. Ou bien la volonté d'imiter aurait été antérieure à l'action du modèle, ou bien l'on aurait acheté le miroir avant de le promener le long du chemin, ou enfin le tempérament (ici, mieux vaudrait dire la personnalité) de l'écrivain, chercherait la vie qu'il allait exprimer. Ignorance qui n'interdit pas la volonté d'expression, mais assurément en éloigne : car l'intention initiale n'est plus d'employer un tempérament à exprimer une ou des vies, mais à transformer un ou des livres. En outre, Flaubert ne cherche pas un sujet destiné à d'éventuels lecteurs, il cherche ce qui lui permettra de gouverner le bateau qu'il ne peut quitter : il lui faut sa drogue, le moyen de la création. Un sujet, c'est ce qu'on entreprend d'écrire. Apogée de la comédie de l'esprit, ce sujet ne mobilisera Flaubert que lorsqu'il en découvrira l'absurdité et le retournera comme un sac; les films qu'on en tirera évoqueront peu *Madame Bovary;* plutôt, quelque roman de George Sand. C'était pour ses amis la dramatique histoire d'un suicide, alors qu'il tiendra la mort d'Emma pour un peu moins absurde que sa vie...

Donc, pourquoi les amis de Flaubert, n'ayant pas encore lu *Madame Bovary,* puis un siècle de critiques le sachant par cœur, ont-ils accepté l'identité de ce roman et de cette histoire? C'est d'abord qu' « une histoire » a voulu dire à la fois vie, biographie (cette vie vue par autrui), résumé de cette biographie par le Petit Larousse, du suicide par le fait divers ou le récit oral qui le rapporte. L'opération créatrice tendrait à retrouver la vie de Mme Delamare, du séminariste Berthet, en partant du fait divers qui rend compte de leur mort. Le talent du romancier consisterait à bien traiter un bon sujet. En 1850, les faits divers n'étaient pas nombreux, et l'on racontait longuement. On aurait pu néanmoins remarquer le laconisme des faits divers; et qu'un récit de vingt minutes excédait. Les histoires dont la formation et la transmission nous semblent *données,* sont toujours des résumés. Une suite d'événements se résume, elle ne se synthétise pas. De tels résumés, étrangers à l'instinct bien qu'on les lui attribue, naissent, au contraire, d'une convention générale comme celles du langage télégraphique et du dessin industriel. Supposer qu'on devienne romancier en développant des faits divers, c'est supposer qu'on reconstitue un paysage de Corot en partant du plan de la rue. Baudelaire félicitait Goya d'avoir créé « des monstres viables ». Sans doute tout personnage est-il un monstre viable; tout grand roman l'est bien davantage, malgré tous les plans de l'auteur.

Nous connaissons ceux de Flaubert. Ils ne sont en rien des résumés de biographie de Mme Delamare, et Flaubert tâtonne vers son roman, dans ces canevas, comme Dostoïevski tâtonne vers Stavroguine à travers des incarnations successives. Le plan semblait donné, parce qu'on l'identifiait à la biographie ou au fait divers initial, et qu'on attribuait au " tempérament " du romancier ce qui en séparait le roman. Pourquoi n'attendrait-on pas d'un plan le ferment qu'on trouve aussi dans une rencontre, un souvenir, un événement, une obsession? Sans doute; à condition de ne pas postuler que ce plan gouverne réellement le travail du romancier. Il est saisissant que celui de *L'Idiot* ait été bouleversé de fond en comble par Dostoïevski, pour le meurtre de Nastasia, que devait tuer Muichkine. Il ne l'est pas moins que le plan le plus ambitieux de la littérature, celui de *La Comédie humaine*, a été conçu après que Balzac eut écrit la première moitié de son œuvre. Comme en peinture, l'œuvre et le modèle n'appartiennent pas au même univers. L'imaginaire *de l'art* n'est pas qu'une combinaison de réels. Peut-être en discuterions-nous encore, sans la naissance, d'abord dérisoire, du roman filmé. Alors que l'adaptation théâtrale n'enseignait rien, la traduction du roman en film allait révéler le secret du roman, comme la photographie avait révélé celui de la peinture. La pièce se référait au théâtre, sans équivoque, tandis que le roman et le film prétendent tous deux se référer à la vie, au moins allusivement. Or, ils se réfèrent bien à la vie, mais pas à la même.

Lorsque Gérard Philipe incarne Fabrice del Dongo, il ne transforme pas le Fabrice de Stendhal, mais un Fabrice réduit à sa biographie. Il n'y a pas identité entre le roman et le film, mais entre l'histoire que semble raconter le roman et celle que raconte le film. Or, on ne peut pas plus ramener un personnage de roman à sa biographie, qu'un roman à son intrigue. Le film a tenté de trouver des équivalents aux éléments du livre, à l'intrigue. Mais que Fabrice montre un vrai visage, celui d'un acteur, nous révèle à quel point l'affirmation du cinéma et la rêverie du roman sont distinctes...

Lorsqu'un film tiré d'un chef-d'œuvre figure

parmi les grands succès, les éditeurs des films romancés ne publient pas le chef-d'œuvre, mais un roman populaire " d'après le film ", un récit *du film* fidèle à ses valeurs sentimentales, dramatiques, à sa narration propre. Stendhal, et les spécialistes du roman-film qui dans chaque pays vont réécrire la *Chartreuse,* racontent tous l'*histoire* de Fabrice et de la Sanseverina. Stendhal, disons-nous, avec plus de talent? Un cinéaste habile, Hitchcock par exemple, ne raconterait-il pas cette histoire aussi bien que Stendhal, compte tenu de la supériorité narrative des images? Et un rival de Simenon ne romancerait-il pas le film de Hitchcock avec autorité? Le génie de Stendhal est ailleurs.

Même si le cinéaste est digne du romancier. On peut préférer *L'Ange bleu* à *Professeur Unrat,* mais ce film de Sternberg n'est pas moins différent du roman, que Marlène de Lola-Lola. Les couleurs de l'imaginaire ne résistent pas à la copie de la vie, à l'incarnation biographique de ses personnages. Le génie du romancier est dans la part du roman qui ne peut être ramenée au récit. Celle du cinéaste aussi. Mais — comme la vie — *ce n'est pas la même.*

Relisons *Anna Karénine* après avoir vu le film où Garbo incarne son héroïne, puis, celui où l'incarne Samoïlova.

L'adaptation la plus banale met en relief ce que l'évidence voilait : ce roman est le récit d'un amour, à travers la biographie de son héroïne. Si nous devions donner une idée d'*Anna Karénine* à un interlocuteur qui ne l'a pas lu, c'est ainsi que nous le résumerions. Pourtant si nous n'ajoutions rien, notre interlocuteur connaîtrait l'histoire de Madame Karénine, mais n'aurait aucune idée, ni du génie de Tolstoï, ni de la nature de son livre.

L'amateur de cinéma qui aurait lu un compte rendu fidèle, vu plusieurs films de Clarence Brown et d'Alexandre Zarkhi, vu Greta Garbo et Samoïlova dans plusieurs rôles, se formerait une idée du film moins confuse : le langage peut raconter une histoire et non une symphonie.

Toutefois, un roman peut saisir la vie pendant de courtes durées, ont affirmé des romanciers naturalistes. D'où leur expression : tranches de vie. Mais il n'y a pas de tranches de vie, il y a des chapitres. Pseudo-biographique ou non, *Nouvelle Héloïse* ou *Manon Lescaut*, le roman n'est pas plus identique au récit, à l'histoire racontée, que l'espace de la perspective n'est identique à la profondeur. Les metteurs en scène, Clarence Brown et Zarkhi, ne pouvant, pas plus que Tolstoï, coïncider avec le temps du récit et ne voulant évidemment pas se limiter au fait divers, inventent leur propre perspective, puisque le cinéma ne peut copier celle de Tolstoï. Mais par une invention libératrice, non par des moyens comparables à la rhétorique, l'éloquence ou l'imagination — même l'illustration.

Dès le découpage, le génie de Tolstoï a disparu; ce découpage reste nécessairement celui de l'histoire d'Anna. D'abord parce que le romancier passe de la biographie à la vie intérieure librement, alors que celle-ci, dans son irrationalité, deviendrait peu intelligible au cinéma; et recourir à l'analyse est recourir au commentaire, procédé enfantin. Le roman nous impose son imaginaire comme il nous impose les héroïnes dont il nous charge d'imaginer le visage — ou non... Surtout, il s'impose comme englobant autonome, alors que le film tente de s'imposer comme illusion. Les relations entre les éléments d'un roman ne sont pas les mêmes qu'entre ceux de la vie; ceux d'un film non plus. Narration écrite et narration filmée détruisent, par leur rapprochement, l'illusionnisme de chacune. Jusqu'ici, le film n'a pas atteint la transformation du destin subi en destin dominé, commune aux grandes œuvres littéraires. S'il y parvenait, ce ne serait pas en adaptant un roman.

Cette transformation impose à Tolstoï l'épigraphe qui menace Anna tout le long du livre : « C'est à moi qu'appartient la vengeance, dit le Seigneur. » Le rapport du roman avec cette épigraphe symbolise les limites de toute adaptation. Clarence Brown espère égaler la visite à l'enfant, grâce au talent de Garbo; aucun des deux metteurs en scène ne tente d'exprimer le tourbillon où se débat Anna lorsqu'elle a perdu sa terrible partie, parce qu'il n'est pas une représentation de ses actes, ni une analyse de ses sentiments, mais un rapport entre tout cela et son destin, harmonie ou dissonance constitutive du roman, intransmissible. Que manque-t-il à la meilleure adaptation? Tolstoï. D'émouvantes images ne suffisent pas pour donner à l'amour son accent d'éternité. « Je me suis réservé la vengeance. » Le vrai Tolstoï, c'est ce qu'on ne peut pas transposer, après qu'on a tout transposé. *Anna Karénine* est indissociable. Non parce qu'elle ressemble à la vie, mais parce qu'elle ne lui ressemble pas. Pourquoi ne photographierait-on pas ce que Tolstoï raconte, puisqu'il raconte ce qui s'est passé? Ce qu'on photographie n'est jamais ce qu'il raconte, et ce qu'il raconte n'est jamais ce qui s'est passé.

Nous regardons la narration, réalisme compris, comme on regardait la peinture, réalisme compris, en 1850 : l'illusionnisme y va de soi. Tout spectacle peut devenir en peinture ce qu'il devient dans un miroir, toute succession d'événements peut devenir, en littérature, le développement de son résumé. Depuis « le miroir promené le long d'un chemin », définition du roman prêtée par Stendhal à Saint-Réal, jusqu'à « la nature vue à travers un tempérament », définition de la fin du siècle, on n'est passé que du miroir fidèle au miroir déformant. Alors qu'il ne s'agit pas de déformer, mais de former : d'inventer une autre coordination. Le lecteur voit, dans le romancier, l'interprète d'une histoire qu'il raconte, en raison d'une image puissante comme l'évidence : celle du musicien que chacun voit interpréter sa partition. L'évidence cesse lorsque la caméra nous demande : *quelle est la partition?*

Il va de soi que le cinéaste ne représente pas plus, par une succession d'images *quelconques,* les scènes du scénario, que Flaubert ne développe en paragraphes quelconques, les épisodes indiqués par le plan de *Bouvard.* Même dans les deux adaptations d'*Anna Karénine,* le cinéaste n'est pas un violoniste, mais un orchestrateur ligoté. Chaque fois que l'on a tenté d'achever l'œuvre d'un maître interrompue par la mort, on a trouvé le vide ou le pastiche. Il est d'ailleurs instructif que le faux, si répandu en art, soit rare en littérature, alors que le pastiche ironique ne se rencontre guère au musée. Malgré Ossian, pas de fausse pièce de Molière, de faux fragments de Racine...

Nous parlons de l'élément spécifique d'un chef-d'œuvre, qui appartient à sa totalité — qu'on l'appelle musique, parfum, palette, ou de tout autre mot allusif — comme s'il était *transcrit,* s'il avait un modèle. Quelque part, fût-ce dans l'imagination de Stendhal, aurait existé une Parme que celui-ci eût reproduite. Mort sans avoir jamais écrit, il eût emporté avec lui *La Chartreuse de Parme*, violettes funèbres. Or, il n'existe pas plus de *Chartreuse* non écrite, que de symphonie imaginaire ou de modèle d'un tableau cubiste. Le livre est le résultat d'une élaboration, d'une suite de parties, tantôt gouvernées et tantôt instinctives, dont chacune se répercute; dans lesquelles le grand romancier trouve une coordination qui lui appartient comme le timbre de sa voix. Stendhal, Tolstoï, n'inventent pas mieux que d'autres leur intrigue, ne racontent pas mieux leur histoire. Ces critères s'appliquent aux romans narratifs (entre tous, aux romans policiers) et la création n'en a cure. Même si la survie doit un jour abandonner Stendhal, elle n'a. pas retenu pour nous l'histoire de Berthet ni même celle de Julien, elle a retenu *Le Rouge et le Noir*. Pas l'histoire du prince André, mais *Guerre et Paix*. Il n'y a pas de partition.

VIII

LE DICTIONNAIRE

Des nébuleuses formées autour du monde variable que l'on désigne comme celui du roman, où la durée de Proust ou de George Eliot se mêle au temps syncopé de Dostoïevski, les frontières de l'histoire et des *Mémoires d'outre-tombe* aux aventures des trois mousquetaires et aux mystères de Paris; de toutes ces nébuleuses, se dégage pourtant une évidence : le pouvoir de création de l'imaginaire romanesque ne se confond pas avec le pouvoir de représentation, il le gouverne. L'imaginaire oral du théâtre avait représenté l'action par le spectacle; le cinéma, la télévision, le tenteraient par d'autres moyens; mais auparavant, l'Occident serait devenu conscient de son imaginaire romanesque, de ce qui l'opposait à son héritier présomptif, l'audio-visuel.

Comme le génie du berger Giotto naquit

plutôt en contemplant la fresque de Cimabue qu'en regardant ses moutons, le génie d'un romancier naît devant un pouvoir de création, celui par lequel le dessein de raconter l'histoire de la femme de Delamare se transforme en *Madame Bovary.* Pourquoi ce pouvoir, lorsqu'il touche au génie, est-il exclusivement littéraire? L'habileté graphique de Victor Hugo ne l'a pas mené à dessiner *Booz endormi;* Mme Delamare n'eût pas mené Flaubert à un tableau, eût-il appris à peindre. On peut imaginer ce que la mort de cette dame eût provoqué chez Géricault, à cause des *Folles...* Non parce que Géricault se servait mieux d'une palette que Flaubert : parce que la création de Géricault venait d'un dialogue avec le musée, non avec la bibliothèque; avec le monde de l'art, non le monde de l'écrit. Être un peintre, ne serait-ce pas d'abord cela?

Si l'on n'échappe guère à l'expression de l'art par le vocabulaire religieux, c'est que tout homme de foi tient pour manifeste l'existence de deux mondes distincts comme des pôles, bien qu'ils communiquent : celui du " siècle ", celui de Dieu. Un peintre est un homme pour qui le musée existe, avant d'être un homme qui fait le portrait de son chat. Le roman, la bibliothèque investissent Balzac avant qu'il rencontre les modèles supposés de Rastignac. Ce musée, cette bibliothèque, réels et imaginaires, sont, comme le monde de Dieu, valorisés en face du siècle. L'écrivain n'écrit pas ses livres, dans l'englobant où l'on écrit des lettres; il est l'homme des deux mondes conjugués. Il ne peut se libérer de l'un, parce qu'il subit la condition humaine, mourra même si son œuvre survit; pas davantage de l'autre, parce que sa vocation y est née. Si nous trouvons dans les faits divers l'origine de beaucoup d'intrigues, mais non la clef d'un grand livre, c'est que le dessein initial du romancier naît en liaison avec le monde de l'écrit. Que *La Joconde* ressemble ou non à Monna Lisa, elle ressemble aux tableaux. La création prospecte, filtre, aspire. Elle éclaire Coupeau ou le rejette selon les exigences de *L'Assommoir* en cours. Le monde latéral de l'artiste n'est nullement celui de l'art (hier, de la beauté), comme le voulaient les esthètes, mais de sa vocation; nul n'atteint au génie en plusieurs arts. Le portrait d'une femme que l'on aime pousse au dessin — et le modèle, au baiser; la vocation artistique ne naît pas de l'émotion éprouvée devant un spectacle, mais devant un pouvoir. Ici, celui de créer la vie par l'écrit : comme le peintre, l'écrivain n'est pas le transcripteur du monde, il en est le rival.

Le roman s'est réclamé de la vie plus que tout autre art jusqu'au cinéma; la poésie, elle, reconnut son indépendance dès qu'elle se voulut poésie. Il a si bien caché la sienne qu'on ne lui a pas trouvé de nom. Ce que veut tout auteur, avant de raconter l'histoire de Mme de Clèves ou de Coupeau, c'est : écrire-un-chef-d'œuvre; notre vocabulaire ne nous permet de désigner le but de l'artiste que par son ambition. Certes, l'artiste (et le non-artiste, s'il est adroit) peut raconter un souvenir, peindre, aussi pour le souvenir, le portrait d'Azor ou la vue de Pompéi. Mais le domaine commun à tous ces portraits et à toutes ces vues n'est pas le domaine commun aux tableaux de Titien et à ceux des primitifs; toutes les histoires, toutes les lettres, fussent-elles de Mme de Sévigné, ne se rassemblent pas dans le domaine où *L'Orestie* rencontre *La Comédie humaine*. Ce que veut l'artiste, c'est : créer. Et que Mme Delamare y aille, si saint Antoine n'y va pas! En musique, une telle entreprise va de soi; mais si peu, dans les arts figuratifs, que l'on y reconnut presque toujours l'exécution d'un modèle. Dans le roman comme dans la peinture. Modèle malgré. l'existence de la musique et de la poésie, malgré l'impossibilité de traduire réellement celles-ci. Le poème échappe à toute traduction comme le roman échappe à sa traduction en film...

Un ballet qui aurait pour étoiles Gervaise et Coupeau serait peut-être populiste, il n'en serait pas moins un ballet, n'appellerait pas moins l'admiration qu'inspire la danse. Et celle qu'inspire le récit littéraire le plus fidèle ou le plus extravagant vient de l'accession, grâce à lui, à un domaine d'une autre nature. Il y a de la polémique dans tout réalisme; mais rien ne peut supprimer qu'un casseur de pierres de Courbet tienne sa valeur d'être un tableau, dans le monde de la peinture; et non un casseur de pierres, dans le monde des vivants.

Si un roman de Balzac est plus proche d'un roman de Walter Scott que d'une « cause célèbre », c'est que la mise en scène et le film, comme le roman historique et le roman balzacien, sont des *englobants limités*. La peinture est faite d'images, la sculpture, de statues; le roman, de récits; le cinéma, de films. Non seulement les tableaux figuratifs (et les autres), quoi qu'ils figurent, ont en commun d'être des tableaux; mais tableaux, statues, récits, drames, films, ont d'abord en commun d'être des créations de l'homme : des captures de l'imaginaire, puisque l'homme invente les styles pour l'imaginaire, avant de leur soumettre le réel. Les arts nous apparaissent semblables à des systèmes; le réel, semblable à un domaine au système inconnu. Nous sommes enveloppés d'un monde inépuisable comme les formes des arbres et compliqué comme un cerveau. Nous n'exprimons la multiplicité qu'en y *choisissant* ce qui l'exprimera. Partir de cette multiplicité — de ce domaine — et en tirer directement un système (et non partir d'un autre système, que l'on détruira) serait sans exemple. L'invention des tableaux, des vers, des gammes, devrait nous interloquer autant que celle du tombeau. Et que notre civilisation soit la première à s'en apercevoir, ne le devrait pas moins.

Rimbaud ne commence pas par écrire du Rimbaud informe, mais du Banville; de même, si nous changeons le nom de Banville, pour Mallarmé, Baudelaire, Nerval, Victor Hugo. Un poète ne se conquiert pas sur l'informe, mais sur les formes qu'il admire. Un romancier aussi. Avant de concevoir *La Comédie humaine* et de se battre avec l'état civil, Balzac s'est battu avec le roman de son temps. C'est sur Walter Scott, Ducray-Duminil, bien d'autres, puis sur maintes *Scènes de la vie privée* qu'il conquiert *Le Père Goriot,* non sur son ancien propriétaire ruiné par ses filles. La création n'est pas le prix d'une victoire du romancier sur la vie, mais sur le monde de l'écrit dont il est habité. A Horace de Saint-Aubin, à Lord R'hoone, Vidocq n'eût pas apporté Vautrin, il eût apporté quelque vampire. Les créateurs voient à travers les lunettes de leur création.

On s'est maintes fois étonné que l'observation, si efficace pour l'illusion et le relief, soit faible chez tels grands créateurs; et plus encore, que tels observateurs de premier rang, La Bruyère, par exemple, semblent limiter délibérément leur œuvre. Jules Renard n'a pas écrit *La Comédie humaine*. Le rôle joué par la bibliothèque intérieure semble beaucoup plus considérable que celui de l'attention; et plus encore, lorsque le romancier commence d'ajouter ses livres, publiés ou non, à ceux du passé. Le manuscrit de la première *Éducation sentimentale* n'a pas joué un faible rôle dans *Madame Bovary*.

Nous ne l'avons pas distingué clairement avant que l'adaptation filmée ait détruit l'illusion-logique du plan. Comprendre la création romanesque est comprendre qu'un romancier exécute aussi ce qu'il n'a *pas* conçu. La création qui va donner existence au roman luit en avant du concevable, à sa frontière, comme un poisson-pilote. Nous pouvons chercher les analogies d'un grand roman avec une chasse ou une aventure, certainement pas avec une copie. Et le cinéma nous a prouvé que le génie d'un roman échappe à son sujet de la même façon que celui d'un poème. En quoi *Les Frères Karamazov* est-il le récit d'un meurtre et de ses conséquences, plus que *Booz endormi* n'est le récit de l'aventure de Ruth (« *Et Ruth ne savait pas ce que Dieu voulait d'elle...* »)? En quoi Dostoïevski connaît-il mieux ce que va dire ou faire Aliocha, que Victor Hugo l'invocation de Booz, qu'il va écrire?

Madame Bovary, *Anna Karénine* ne ressemblent guère plus aux faits divers dont ils sont nés qu'un champ de seigle ne ressemble au sac de graines dont il fut semé. Mais le dessein d'une grande œuvre, qui ne se confond pas toujours avec son point de départ, libère la vie de sa confusion illimitée. Des prés informes cessent de l'être aux yeux des chasseurs. Non que la volonté de création apporte une architecture à l'univers : elle le filtre de façons successives, son filtre variant selon les états de l'œuvre comme la prunelle des chats selon l'obscurité. Il devient ce que Delacroix appelle le dictionnaire. L'artiste a découvert que l'œuvre est le moyen *de sa recherche*. L'univers ne parle pas au romancier, il lui répond. Le plan, la ligne générale, le « dessein flou » sont le plus souvent sauvegardés (pas toujours, notamment chez Dostoïevski...). Mais la chasse les développe moins qu'elle ne nourrit l'art du romancier, la complexité de sa prise, renforcée par son propre exercice. Et, de même que le peintre trouve autour de lui les objets appelés par les vides de sa nature morte, le romancier y trouve les événements qu'il appelle les germes de ses personnages. Pour les assimiler plutôt que pour les insérer. Car cette assimilation oriente et hiérarchise l'œuvre, depuis l'imitation supposée des modèles jusqu'à l'indépendance supposée des créatures. Aucun Balzac pur ne passe de Mme de Berny aux *Illusions perdues*. Aucun Rimbaud pur ne passe de rien au *Bateau ivre;* il imite Banville parce que toute création est l'aboutissement d'opérations sur des formes. Quoi que Baudelaire doive à Victor Hugo, il ne le lui doit pas comme Richepin; quoi qu'il doive aux *Rayons jaunes,* pas comme François Coppée; mais il passe par là. Dans le roman comme en peinture, le créateur finit par son génie, et commence par celui des autres. Qu'il ne conquiert pas sur " la nature " mais sur des créations. « Il y a des enfants sans état civil, disait Degas, il n'y a pas d'enfant sans mère. »

L'illusionnisme le plus puissant, le plus récent surtout, paraît toujours réalité : nous avons pris conscience du mutisme du cinéma, devant les films parlants. Nous découvrons la façon complexe dont les romans se réfèrent les uns aux autres plus qu'à une histoire de la narration : autant qu'à des reflets de nos actes ou de nos sentiments, autant qu'à " la réalité ". Comme les œuvres du musée. Toute narration est plus proche des narrations antérieures que du monde qui nous entoure; et les œuvres les plus divergentes, lorsqu'elles se rassemblent dans le musée ou la bibliothèque, ne s'y trouvent pas rassemblées par leur rapport avec la réalité, mais par leurs rapports entre elles. La réalité n'a pas plus de style que de talent.

Nous appelons réalité le système des rapports que nous prêtons au monde — au plus vaste englobant possible. La création, dans les arts plastiques et ceux du langage, semble la transcription fidèle ou idéalisée de ces rapports, alors qu'elle se fonde sur d'*autres*. Tantôt d'autres rapports de leurs éléments entre eux, tantôt avec leur englobant — qui n'est ni le monde ni le réel mais le monde-d'un-art, un temps qui n'est pas le temps, un espace qui n'est pas l'espace; la bibliothèque ou le musée, le roman ou la peinture. Il faut une illusion-logique chevillée au corps pour voir, dans le Musée Imaginaire, un monde illustré, et dans la Bibliothèque, un récit de l'aventure humaine. Car la création, semblable aux liquides, qui ne prennent forme que par leur contenant, nous apparaît par les formes qu'elle a prises; elle nous apparaît encore dès que nous nous attachons à leur dissemblance, non à leur ressemblance : à ce qui sépare *Madame Bovary* de tout modèle, un tableau, de toute photographie, *Le Cuirassé Potemkine* de toute révolte de matelots.

Mais les écrivains et les peintres ont subi l'illusion-logique presque à l'égal du public et de la critique. Ce ne sont pas les théories de Flaubert, Dostoïevski ou Rimbaud, ni même *Mon cœur mis à nu,* qui nous révèlent le mécanisme créateur; c'est ce qui se dérobe à Flaubert dans sa *Correspondance,* à Dostoïevski dans ses *Carnets.* C'est aussi la publication des écrits d'adolescence : elle a substitué l'expérience de la création à la logique, nous a montré que l'apprentissage d'un romancier s'apparente à celui du héros d'un « roman d'apprentissage », nullement à celui d'un artisan : Wilhelm Meister, non un menuisier. Ce n'est pas l'ignorance, qui a porté le XIXe siècle à se méprendre sur le rôle de la bibliothèque intérieure; c'est d'abord sa conception des influences comme de modèles, alors que nous tenons l'influence pour la matière première et la puberté de la création; sans les mondes de formes, les artistes les plus originaux ne seraient pas nés de l'informe univers.

IX

PROFESSIONS DÉLIRANTES

Flaubert a vécu avec sa bibliothèque comme Victor Hugo avec Juliette Drouet. Cette bibliothèque, ce sont tantôt des travaux qu'il lit ou relit pour son œuvre en cours; tantôt, un Olympe. Il ne s'agit plus alors de consulter un livre, mais de reprendre son dialogue avec une surhumanité. Non qu'il soit dupe des grands morts. Ses superlatifs s'appliquent aux œuvres plus qu'aux hommes. Il ne confond pas Frédérick Lémaître avec Ruy Blas qu'il admire. Mais... Aux yeux des classiques, la bibliothèque était volontairement confrontée avec le niveau de civilisation qu'exprimait Racine, aux yeux de Flaubert, la vie est involontairement confrontée à Homère et à Cervantès.

Écrit-il *Salammbô*, il ne juge pas ses personnages, qui ne sont jamais des personnages. Il attend de son livre une suite d'instants de poésie, comme il les attendit des apparitions de la première *Tentation de saint Antoine*. L'histoire est comble de moments prodigieux.

Mais lorsqu'il rêve des galères de Cléopâtre, il ne leur compare pas les chalands de Croisset; lorsqu'il rêve de Cervantès, il lui compare Charles Bovary, ne peut s'en défendre. Pas toujours? Toujours il fait juger Yonville par l'Olympe. Moins romancier que vengeur (de quoi?), cet homme généreux, ivre d'admiration, ne peut constituer ses personnages contemporains que sur le mépris. Coupable de créer Homais, il rétablit la justice en créant Bournisien.

Au temps de Madame Bovary, il note avec tristesse qu' « il faudrait pouvoir aimer également ses personnages »; des années plus tard, il note avec amertume, de personnages futurs : « Et je les roulerai tous dans la même boue — étant juste. » Justice où le naturalisme reconnut l'impartialité; cette impartialité-là ne pesa pas d'un faible poids dans le conflit entre naturalisme et romantisme, parce que le premier proposait une humanité nivelée à laquelle il croyait peut-être, mais à laquelle Flaubert n'avait cru que lorsqu'il écrivait des romans modernes. Est-il facile de créer cinquante personnages sans un seul personnage " positif ", et presque sans le savoir? Son dialogue avec l'écrit l'intoxique à tel point, que son œuvre commencé avec saint Antoine en proie au dictionnaire des hérésies, s'achève avec saint Bouvard en proie à la bibliothèque : il la copiera!... Flaubert trouve dans la dépréciation, le puissant virus que d'autres écrivains trouvent dans la satire; à une mystérieuse profondeur, cependant. Premier romancier français à éprouver l'absurdité de la condition humaine, l'ambivalence dans laquelle il l'éprouve ne vient pas de la mort, mais du monde de l'écrit, qui fonde sa dérision. C'est, je crois, ce qu'il appelait l'art. La Terre Promise — le salut.

Non seulement aucun critique ne releva de sarcasme dans *Madame Bovary*, dans *L'Éducation sentimentale*, mais encore ce dernier roman devint, pour les naturalistes, la Bible de l'objectivité. On peut défendre celle de *Madame Bovary*. On ne trouvera, même chez Homais, aucun raccourci scientifique digne de : « Bouvard ne croyait même plus à la matière. » Mais si nous comparons *L'Éducation sentimentale* à sa première version, terminée dix ans avant

Madame Bovary et que Flaubert ne publia pas, nous voyons ce qu'il attend de son style dans ses romans modernes, et ne peut en attendre que là.

La différence si profonde, malgré la continuité de ce style, entre *Madame Bovary* et *Salammbô* ne vient pas seulement de la substitution de l'archéologie à l'observation. Son style soutenu — aucun de ses disciples n'en trouvera l'équivalent — appliqué aux faits divers d'Yonville, leur donne le sarcastique relief que le meuglement des bestiaux donne au dialogue amoureux de Rodolphe et d'Emma. Le style inverse le procédé : la dérision ne vient pas des veaux, mais des dieux. On ânonne les discours des comices devant Shakespeare, devant toute la bibliothèque intérieure de Flaubert. Peut-être touchons-nous là ce qui lui permit de s'épuiser sur Charles Bovary comme sur les lions crucifiés, et confère à l'univers navrant de ses plus grandes œuvres l'arrière-plan qui légitime sa passion pour Cervantès. Le domaine empirique de ses valeurs est ferme, pour la même raison qu'il est vague. Ses œuvres quelquefois secrètes ont pour auteur l'être apparemment le moins ambigu. En marge de l'absurdité universelle, s'étend un domaine sauvé, seul vrai au sens religieux du mot. Gustave est malade, tant pis. Il ne peut sauver sa nièce qu'en se ruinant, il se ruine. Des coupures dans *Madame Bovary?* Que le jeune Maxime Du Camp aille se faire foutre! Il n'aime pas Stendhal, il le dit. Quel autre écrivain a consacré à un saint, un livre où le Christ n'apparaît que parce qu'il faut bien en finir? Le monde n'a pas d'autre sens que la succession des tableaux de *Saint Antoine,* des journées de Frédéric Moreau. Nuées en dérive. Seul *existe* l'oratoire, le pavillon des livres. Rien de plus simple, s'il écrivait *Salammbô* toute sa vie, s'il devenait le successeur de Théophile Gautier. Mais Gautier n'écrit pas *Bouvard,* ni la *Correspondance.* Leconte de Lisle non plus. Comment transformer en ciseleur d'opéra, en Cellini gueulard, ce grand prêtre de l'art-faute-de-mieux? Son génie échapperait-il à l'énigmatique monde des livres?

Il en est prisonnier.

Un jour, le mot " bourgeois ", qui signifie pour les artistes " l'ennemi de l'art ", signifiera aussi et simultanément, l'ennemi du peuple, puis du prolétariat. D'où, le domaine où les génies maudits donnent leur grandeur à la misère, et où la misère pose son terrible sérieux devant Monsieur Prudhomme. Mais avant que le mot prît l'accent que nous lui connaissons, avant la Commune, Flaubert avait déjà fait passer le personnage, de la caricature au mythe. Monsieur Prudhomme, chez Henri Monnier, n'était pas même propriétaire... Mais rien ne montre aussi bien que les *Scènes* méticuleuses de Monnier, à quel point Flaubert conçoit le Bourgeois comme symétrique de l'artiste maudit, grandi par le même manichéisme. Flaubert lui donne une ampleur que Chatterton ne trouve pas chez Vigny, et que le romantisme appelle toujours; ce Bourgeois est plus mythique que Jean Valjean. Même que Don Quichotte, en ce qu'il est une création d'imaginaire, non un type : la Gargouille fabuleuse, comme Perceval est le chevalier — irréel à l'égal de *La Joconde*. Ce fantastique, Flaubert le reflète avec une jubilation impassible dans ses personnages, mais se garde de l'incarner — sachant qu'il défie l'incarnation. Le Bourgeois dépasse " les deux bonshommes ", de la même façon que Don Juan dépasse Werther. La dimension mythique ne protège plus Don Juan quand il devient celui de Molière. Ni le Bourgeois, quand il devient celui de la *Correspondance* : il révèle alors le caractère commun à ses manifestations disparates, et c'est, qui l'eût cru? la haine des valeurs conservées par le pavillon des livres.

Le Bourgeois y met en relief, par opposition, des accents que nous distinguions mal : l'exemplarité parfois, toujours la qualité de l'imaginaire. Si la morale fut « une . dépendance de l'esthétique », c'est bien là — à condition de souligner que Flaubert n'est pas esthète, ne se veut pas " lettré " au sens chinois des Goncourt, ne possède ni tableaux ni objets précieux. Le casque de chimère qui l'oppose de front au Bourgeois, l'oppose obliquement aux Bichons — qui s'en doutent... La bibliothèque est sauvée, non victorieuse; au mieux, le piège où se prendra *peut-être* l'absurdité universelle. L'enjeu n'est pas la postérité, ni le génie, mais la prochaine partie, la fraternité avec les Intercesseurs contre la chimère en redingote où se conjuguent la Bêtise et le néant. Comme les groupes antiques où quelque Neptune à la limite de sa force subjugue deux Atlantes, un Flaubert de Daumier poursuivra dans les siècles les deux silhouettes goguenardes pressées d'un peuple d'ombres. Aucune bibliothèque intérieure ne défia la réalité de façon aussi constante, profonde et souvent involontaire, que celle du maître des réalistes français. Mais le véritable enjeu, il le dévoile une fois, et l'on comprend pourquoi il ne se console que dans la lecture et les amitiés de compagnons-de-chaîne. Les lecteurs ont toujours pressenti la dualité de Flaubert; par malheur, on l'a très tôt attribuée aux décors, alors qu'elle n'est nullement exprimée par l'opposition d'Emma Bovary à Salammbô, figurine sans importance, mais par celle de Charles Bovary au bref docteur Larivière, des marionnettes à leur créateur désolé. Tout Yonville pousse un appel incurable à la dignité d'être homme. Mot que Flaubert n'emploie pas. Est-il nécessaire pour entendre la lugubre plainte qui parcourt la *Correspondance*, en couvre la dernière partie : « Mon cœur est plein de cadavres comme un vieux cimetière... » Il est dans la nature des biographies de s'attacher au pittoresque. Celui de Flaubert, tel que nous l'imaginons à travers ses lettres et ses amis, était du type pantagruélique. Souvenirs du Garçon, pittoresque de célibataire et d'éternel étudiant. Mais n'est-ce pas faire la part belle aux charges d'atelier et aux cancans des Goncourt, que d'y réduire un homme dont Gide dit « Sa *Correspondance* a été ma Bible », correspondance où se trouve le récit de la mort de son ami Le Poittevin, dont Gourmont, peu sentimental, souhaitait qu'on le lût à genoux? Au fond de la tristesse, en face de la mort, il invente de se surnommer saint Polycarpe. Je crains qu'il ne se soit surnommé saint Polycarpe toute sa vie : ses boutades et paradoxes sont cousins de Gautier. Mais Gautier a sans doute trouvé dans son personnage, sa meilleure œuvre. Alors que si nous délivrons Flaubert de sa chéchia, de ses histoires hénaurmes, de ses marionnettes qu'un siècle n'a pas flétries, et du mythe monstrueux qui règne sur elles comme un Méphistophélès ami de Pécuchet, nous trouvons une désolation de la bassesse des vivants, une piété de l'inexplicable noblesse de l'homme, bien étrangères au Garçon. S'il fallait choisir la plus noble figure d'écrivain français de cette époque, sommes-nous bien sûrs que nous ne choisirions pas le Flaubert du silence?

Du silence et du secret qui affleure lorsqu'il écrit, comme par mégarde, de la craintive servante décorée à la fin des comices agricoles de

Madame Bovary : « Ainsi se tenait, devant ces bourgeois épanouis, ce demi-siècle de servitude. »

Aucune de ses œuvres ne cache cette nostalgie plus âprement que *Bouvard et Pécuchet*. Le livre chéri des membres du Flaubert-Club ne rassemble pas seulement l'admiration pour un maître, mais aussi les complicités, le goût de saint Polycarpe, le souvenir du Garçon; depuis Thibaudet, depuis Gourmont, on y communie dans le plus saisissant canular de notre littérature, on y exalte un sur-Flaubert, un Flaubert essentiel.

C'est un de nos rares livres énigmatiques. Flaubert s'applique à un trompe-l'œil méticuleux, non pour peindre des coccinelles sur une marguerite, mais pour imiter une litho, une caricature monochrome. Et la création y vient de la caricature, non de l'illusionnisme. Caricature de quoi?

« Leur bêtise me fascine », écrit-il. La fascination n'est pas douteuse. Mais la bêtise? Celle des " deux bonshommes "? A quoi bon? La dimension " réaliste " qu'il semble rechercher, pourquoi la détruit-il infailliblement? Les critiques — prévisibles — convergent sur la complaisance. Dès le début de son entreprise, Flaubert a été conscient de ses invraisemblances, gêné par elles au point d'exécuter en caricature ce qu'il affirme (de temps à autre) concevoir en dessin. N'importe : les deux héros sont manifestement des héros-attrapes, des masques d'eux-mêmes : Bouvard est déguisé en Bouvard.

On va chercher dans *Les Deux Copistes*, nouvelle insignifiante lue trente-cinq ans plus tôt, l'origine de *Bouvard*. Autant chercher celle d'*Ubu* dans les chroniques des rois de Pologne. Le réalisme complique, en voulant le préciser, ce qui n'est pas précisable : *Bouvard* vient de plus loin, du Jacquemart, de l'éternel couple : Don Quichotte et Sancho, Footit et Chocolat — archétypique comme le couple de Charlot et du policier colossal. Le livre superpose une chronique des événements, fil conducteur, et une satire supposée des deux bonshommes, qui n'en forme pas plus le *sujet*, que cette chronique. Reste la bêtise? Satisfait de se plaindre, Flaubert, à son corps défendant, prend conscience de s'être engagé dans une aventure : au-delà de la bêtise, c'est l'insaisissable de son livre, qui le fascine, comme l'insaisissable d'*Un coup de dés...* fascinera Mallarmé. Ses plaisanteries nous font oublier sa lucidité d'écrivain, qui n'est pas commune. Il cultive l'originalité sans précédent de ce qu'il fait à tâtons. Ce maniaque des plans de chapitre découvre le fauve qu'il a connu seulement en cage. Il a rêvé d'un livre « sans sujet, qui ne tiendrait que par la puissance propre du style ». Le livre qu'il écrit n'est pas celui-là, mais c'est son cousin. Il poursuit dans la solitude son monologue de somnambule, car Bouilhet est mort. Moins il comprend ce qu'il fait (et pourtant, il le gouverne), plus il se sait capable de le faire, et plus, complice de lui-même, il subordonne le sarcasme au chef-d'œuvre aberrant dont il ne connaît pas la clef.

Le Jacquemart, la virulence des œuvres apparemment écrites pour les marionnettes — qui à notre surprise, les jouent si mal : *Ubu, Don Quichotte, Bouvard* — sépareraient ce dernier roman de ses prédécesseurs? Flaubert écrit les *Trois Contes* pour s'en distraire. Même *Un cœur simple?* Comment les bouvardistes, flaubertiens attentifs, n'ont-ils pas entendu la sommation que leur adresse, à

173

travers le dialogue sans espoir de Bouvard et de Félicité, le génie paralysé de Flaubert? Il n'oppose pas Félicité à Bouvard. En face de l'humanité sauvée par les livres, la bêtise humaine est invulnérable. Non telle bêtise particulière : la condition de l'homme dans le siècle. Mais l'impuissance d'*Un cœur simple*, de *Saint Julien*, exclamations de vengeance inefficaces et désespérées, nous pressent de reconnaître que la création de Flaubert égale à *La Comédie humaine*, celle qu'il tente d'exorciser dans les deux Contes, c'est le Bourgeois *mythique* dans lequel il incarne, au-delà de tous les Bouvard, l'absurdité du monde.

Peut-être *Bouvard* était-il prédestiné à cet inachèvement de ruines dont il s'accommode si bien, peut-être ne devions-nous jamais être assurés de ce qu'au dernier chapitre, auraient copié les deux amis. Pourtant, si Flaubert était mort quelques années plus tard? Les " bonshommes " congédiés, il avait résolu de " foncer ", comme sur *Saint Julien*, sur un quatrième conte : *Léonidas aux Thermopyles*. Il avait donc choisi Sparte; ni l'Attique de Renan, ni la Grèce atride qui retrouvait alors ses ténèbres. La ville sans arts, bien entendu. Le sifflement des flèches perses, le chahut clair des lances contre les boucliers, un monde tricolore et matinal contre *Hérodias* chamarrée, le vol immobile des aigles jusqu'aux Phédriades. Qui eût ébloui peut-être (le succès des *Trois Contes* avait égalé l'échec de *L'Éducation sentimentale*) par l'accent qui accorde parfois Flaubert au génie dorien. « Ce sera trapu! » Avec quelle joie il eût retraduit : *Passant, va dire à Lacédémone — Que ceux qui sont tombés ici sont morts selon sa loi...*

Mais l'invincible irréalité des deux copistes aurait retrouvé M. Homais et ses collègues par-delà les sacrifices spartiates, aussi vains que la foi de Julien et le dévouement de Félicité...

Cas-limite. Révélateur par son dialogue secret de la création romanesque et de la bibliothèque; mais d'ordinaire, celle-ci agit plus simplement, plus rigoureusement.

Bouvard est-il l'accusation enragée, par les survivants, des absurdes vivants? Mais pourquoi le dialogue de Sparte et du grotesque va-t-il se nicher dans deux guignols, le problème du Mal, dans les Karamazov? Le vrai saint Antoine se réfugiait dans la Thébaïde, non dans les romans policiers, même géniaux. Chez Dostoïevski comme chez Tolstoï, pourquoi la pensée d'un prédicateur de Croisade s'incarne-t-elle dans l'imaginaire romanesque? Les textes sacrés suffiraient à fonder la pensée de Dostoïevski. Il l'emploie à créer des personnages, au lieu de devenir staretz ou de la clamer sur les routes. C'est que dans la bibliothèque où il a trouvé l'*Apocalypse* et les œuvres des Pères orthodoxes, il a aussi trouvé Gogol. Celui des *Ames mortes,* celui du *Revizor.*

L'imaginaire de théâtre ne s'impose pas à lui. Il a trouvé l'autre dans *Les Ames mortes,* dans Balzac qu'il a traduit, dans Dickens qu'il aime, dans Flaubert peut-être. Imaginaire formé peu à peu, comme l'avait été celui du théâtre; l'amateur fait partie des espèces tardives. Mais le génie de Flaubert avait beaucoup plus besoin de la lenteur enveloppante du roman, que le génie spasmodique de Dostoïevski.

« Ses affrontements sont des affrontements de théâtre, des scènes, disait Gorki : il n'a qu'un rival, c'est Shakespeare. Voyez-vous, je me demande : que serait devenue sa création, s'il lui avait été impossible, interdit, que sais-je? d'écrire des romans? Les Karamazov sont une espèce de tragédie gréco-russe... »

Meyerhold l'a-t-il mis en scène? On en rêve. Le théâtre, pour ses fervents, a toujours été un lieu magique. Dostoïevski eût-il subi cette sorcellerie pour aboutir, comme Meyerhold (et parfois Molière), aux gestes, au spectacle? Ou à la tragédie gréco-byzantine entrevue par Gorki? C'est bien à Shakespeare que nous pensons, si nous imaginons Dostoïevski écrivant les grands dialogues des Karamazov *pour la scène*... Meyerhold eût monté sa pièce dans une communion charnelle avec l'éclairage, les costumes, les acteurs; nous savons, les *Carnets* aidant, que Dostoïevski a écrit son livre dans une telle communion. Avec l'imaginaire écrit.

Valéry classe avec raison la littérature parmi les professions délirantes. Écrire semble clair. Chacun sait qu'il n'a pas subi l'intoxication de la rampe, des costumes, des acteurs, des répétitions, du manuscrit qui peu à peu devient pièce; pas davantage, dirigé un film, sorcellerie mécanique. Mais chacun écrit des lettres, chacun rêve, chacun ignore que l'imaginaire écrit ressemble plus aux sorcelleries de fiction, qu'aux lettres ou aux rêveries. Il y a du phantasme en lui : il connaît un répertoire, une parenté de ses créatures. Les personnages majeurs de Balzac, de Dostoïevski, appartiennent à l'imaginaire de Balzac, de Dostoïevski, dans lequel ils prennent forme — et qui ne sont pas interchangeables. Dostoïevski ne se raconte pas les frères Karamazov comme une jeune fille se raconte des fiancés futurs. Il travaille à l'élaboration d'un roman; mais la nécessité qu'elle implique, de *retrouver* chaque jour des êtres fictifs, est d'un autre ordre que celui d'un travail. Ce dont le romancier semble le plus maître : corriger, rejoint ce qu'il fait de plus délirant : établir avec ses fictions une relation continue (définition éventuelle de la folie). Presque toutes les analyses des romans sont d'ordre esthétique : écriture, composition, récit, supériorité ou infériorité des arabesques de *La Princesse de Clèves* sur le bloc des *Illusions perdues*, etc. Avant de juger un roman de Balzac bien ou mal écrit, prenons conscience de ce qu'il est écrit, j'entends : ni récité, ni joué, ni filmé. Les épreuves de Balzac sont plus instructives qu'aucun exposé; et elles dévoilent ce qui les a précédées, le jeu de la création depuis la première ligne du manuscrit. L'écriture, la typographie disent à Balzac (son imagination ne le lui avait pas dit) qu'entre tels paragraphes, un événement s'est produit, une analyse est nécessaire : béquets. Qu'il peut supprimer tel passage — et il connaît la vigueur de l'ellipse : suppression. Les adjonctions vont jusqu'à introduire de nouveaux personnages. Quand le lecteur dit que l'auteur corrige, il entend qu'il perfectionne, purifie. L'opération initiale, toute différente, repose sur ce que sa rêverie écrite n'est plus celle à laquelle il s'abandonnait. Il a quitté la rivière. Celle qu'il regarde couler appartient encore au courant; les corrections de style viendront plus tard. Mais une navette va de son imagination fixée, à son imagination disponible, et c'est elle qui nous permet de comprendre l'imaginaire écrit, matière première du romancier — de même que la scène, depuis la première répétition jusqu'à la première représentation, fut celle du dramaturge. L'imagination est un domaine de rêves, l'imaginaire, un domaine de formes.

Celui du roman vit selon ses propres lois, sa cohérence propre, aussi rigoureuse que celle à laquelle le monde musical subordonne ses livrets ou ses ballets. Nous ne comparons pas la *Carmen* de Bizet au modèle hypothétique de Mérimée : quelle existence posséderait un personnage d'opéra, hors du monde de l'opéra?

La création littéraire naît dans le monde des créations et non dans celui de la Création. Comment le secret du roman nous échapperait-il aujourd'hui? Ce n'est pas une photographie idéale ou fidèle du xixe siècle, c'est l'imaginaire de l'écriture.

De *notre* écriture : art à voix basse, manuscrit et imprimé, monde de monomanes où le fou Balzac s'intoxique de son Rubempré, le fou Dostoïevski de ses Karamazov, dont le fou lecteur-solitaire va s'intoxiquer à son tour. On n'écrit pas le monologue intérieur de Mme Bloom sur des tablettes; *Ulysse*, pas davantage.

La création romanesque naît de l'intervalle que nous avons vu séparer le roman de l'histoire qu'il raconte — mais dont nous n'avons pas vu que s'y déroule le dialogue de l'auteur avec son imagination au moyen de l'écriture; repentirs, adjonctions, liberté que ne limitent nul interprète, nulle narration orale, nulle mémoire, mais seulement la navette entre auteur et personnages, la marge où ceux-ci prolifèrent, inséparable de la conscience qu'a le romancier de ne s'adresser ni à un interlocuteur ni à un spectateur, mais à un lecteur. Comment les Anciens eussent-ils connu le roman? Aux lieux mêmes où la voix antique avait fait hurler Œdipe, le silence antique n'a pu dépasser Daphnis et Chloé.

Ce n'est pas la machine, ce ne sont pas les journaux, qui ont manqué à l'antiquité pour inventer le roman. Et certainement pas l'imagination : c'est notre bibliothèque.

X

INTERPELLATION DU ROMAN

Mais cette navette donne à l'imaginaire sans visages, une relation avec son créateur, irréductible à son dialogue avec des vivants, surtout avec des acteurs. Aucun cinéma, aucune télévision, ne feront naître les sentiments de Stendhal pour ses héroïnes, ceux de Tolstoï pour Natacha, de Dostoïevski pour Stavroguine. Lorsque le roman sera mort, un domaine aussi complexe que celui des phantasmes aura disparu pour toujours. Sommes-nous menacés d'un monde fictif exclusivement incarné, télévision après théâtre? L'inépuisable dialogue de Stendhal avec la Sanseverina va-t-il appartenir au passé? A quel monolithisme sont réduits Macbeth devant Shakespeare, Tartuffe devant Molière — comparés au prince Muichkine devant Dostoïevski...

Chacun a vu, dans le cinéma, le successeur du théâtre, dont il avait hérité la salle. Et la radiographie du roman par le film nous demande avec insistance pourquoi l'adaptation par le théâtre fut indifférente aux écrivains. Le roman, genre inférieur, sans passé, ne fut pas mis en question par le théâtre, genre majeur et paré de la gloire de la tragédie antique, puis de Shakespeare, de Molière : l'inverse eut lieu. De Shakespeare ou de Corneille au romantisme, quel récit eût rivalisé en prestige avec les chefs-d'œuvre du théâtre (où Balzac, Flaubert, Tolstoï allaient échouer)? Mais ce prestige ne s'étendait pas aux romans adaptés. La scène en restait l'album d'images, à peine la dramatisation, par son illusionnisme infirme et conventionnel. Dont l'écran la délivre : les petites têtes des acteurs dans les grandes salles, s'amenuisent encore devant les têtes géantes sur les écrans des petites salles. Le film s'était déjà montré plus ambitieux que le théâtre adapté, lorsqu'il était muet. Dès qu'il parla, commença l'aventure de sa traduction des chefs-d'œuvre. La mise en question du roman lui-même allait prendre toute sa force.

Au cours du XIXe siècle, chaque culture nationale cesse de vouloir assimiler les autres.

Nos traductions des romans anglais au XVIIIe avaient été des adaptations insolentes au goût français, et réciproquement. Un siècle plus tard, le premier texte français des *Frères Karamazov*, en supprimant plus d'un tiers du texte russe pour confusion mentale, montrait la même outrecuidance. Après la guerre de 1914, on rétablira l'original. Faute hier, la dissemblance se change en valeur.

Le roman s'interroge d'ailleurs plus ostensiblement que par *Bouvard et Pécuchet;* devenant, à l'occasion, son propre interlocuteur, il dévoile dans toute son évolution, un interlocuteur secret. Le sujet du roman avait été aussi le dialogue presque muet de Tristan avec le philtre, de Don Quichotte avec le rêve, d'Emma Bovary avec les grands morts, de Coupeau avec la destinée ou la justice, de Dostoïevski avec Dieu, du narrateur de Proust avec le temps. *Ulysse* n'est certainement pas l'histoire de M. Léopold Bloom, mais le dialogue de cette histoire avec " l'œuvre en cours ", comme *Les Faux-monnayeurs* est le dialogue de ce que raconte Gide, avec son livre — qu'il appelle son premier roman, sans s'apercevoir qu'il rend impossible le second. Et le Marcel de Proust n'a pas pour seul interlocuteur le temps, il a aussi le livre. Le livre en tant que création autonome, non en tant qu'englobant comme *La Comédie humaine.*

Le début du siècle avait pressenti le caractère de la fonction fabulatrice. L'imaginaire n'était pas à l'affût en l'homme pour qu'il s'en amusât. Perrault vint du fond des temps et non du bon vieux temps. Le domaine de la littérature avait voisiné avec l'anecdote. Il voisinait maintenant avec la névrose et l'immémorial.

Au-delà de la floraison des écrits intimes, l'analyse des personnages devait beaucoup à une introspection imaginaire, celle de l'auteur devenu personnage. Malgré l'affirmation célèbre, Madame Bovary n'est pas Flaubert, bien que Julien Sorel soit souvent Henri Beyle. A nos yeux, le *je* de cette époque devient un *il.* Introspection signifiait vite confidence; nul n'affleura l'irrationnel quasi-dément du redoutable *je.* Quelle différence devrait séparer le *Journal* de Roger Martin du Gard, et celui d'Antoine Thibault, le *Journal* de Gide et celui d'Édouard? La psychologie du xixᵉ siècle, paradis des romanciers, proposait un chassé-croisé entre ce *je* intime qui est un *il*, et le *il* romanesque, qui est un *je* travesti — car psychologie signifiait toujours introspection.

Mais au cours du siècle, la relation du lecteur avec l'écrivain a changé du tout au tout. Les philosophes du xviiiᵉ qui appelaient philosophie une attitude, plus qu'une discipline, avaient délivré la littérature de la futilité. Le romantisme avait fait de l'artiste un héros. L'expérience humaine introduite dans la fiction depuis longtemps, avait cessé de se confondre avec l'analyse de l'amour. A la mort de Tolstoï, chacun éprouve confusément que les grands romanciers changent des destins subis en destins dominés.

D'où leur autorité.

Ils avaient été " des auteurs " : moins élevés que les hommes de qualité, parfois spécialistes (Diderot par exemple), à la façon dont le sont aujourd'hui les acteurs. La conversation, en un siècle, avait changé de langue. Lorsque Lamartine devint chef de l'État, le temps était loin, où quelque duc demandait avec mépris « si la conversation allait prendre désormais le ton des académies! ». « — Aux académies, il faut d'abord être élu! », avait répondu Chamfort; mais quelle société française eût posé la question, un siècle après lui? Par Victor Hugo, l'écrivain finissait prophète. Le destin politique du poète y contribuait; mais aussi le prestige de connaisseur des âmes, au moins des hommes, que les romanciers avaient hérité du sacerdoce. Pour des raisons claires, et une qui l'est moins : la création de l'artiste, qu'on avait tenue pour l'exercice d'une profession, devenait l'exercice d'une faculté mystérieuse comme tout ce qui touche à la mort, parce qu'elle poursuivait une postérité qui se distinguait de plus en plus de l'immortalité.

En outre, le roman restera-t-il le mandataire privilégié, de la connaissance de l'homme? Dans certains domaines d'investigation nouveaux, l'ethnographie par exemple, le rôle de l'individu s'efface. Surtout, le développement de la psychanalyse, même aux yeux qui n'y voient qu'une discipline parmi d'autres, pulvérisera, dans l'introspection, l'analyse de l'individu *par lui-même*. Cette matière première mégalomane n'est plus précieuse par sa subtilité, mais par sa passivité; le sorcier n'est plus le sujet, et le médecin le chassera s'il s'introduit dans sa propre analyse. La psychanalyse fortifiera d'abord l'île individuelle, en soulignant que le segment de vie où se développe la psychose se réfère au segment de la même vie où elle est née; la psychanalyse ne quitte pas l'individu, ne recourt pas aux coquecigrues de la psychologie théorique : on s'apercevra vite que le complexe d'Œdipe est aussi répandu que l'amour. Mais avant la mythologie freudienne, avant ses phantasmes à têtes de pieuvres entre les Mères et les Parques, son profond domaine d'ombre donne à ce qui l'a précédée, un accent superficiel et rationaliste. Lorsqu'elle prend chez les intellectuels français la place que l'on sait, elle y établit son domaine plutôt que des doctrines, son inconscient plutôt que les pulsions ou le pansexualisme. C'est devant la " psychologie des profondeurs ", l'Olympe archétypique, non devant des systèmes, que l'individu s'efface. André Gide, l'un des premiers écrivains français soucieux de psychanalyse, en devient dramatiquement conscient. Bientôt grincera la question sans réponse mais sans recours : que pèsent cinquante ans de journal intime, fût-ce pour leur auteur, en face du camp d'extermination, du Goulag, de la bombe atomique? L'Europe s'était peu souciée de la psychologie théorique, s'en fût moins souciée encore si elle ne l'eût pas liée à la fiction. Et comment lui lierait-elle la psychanalyse, qui impose son propre roman? Notre siècle n'a pas substitué des vérités à d'autres, comme dans les sciences : il a nonchalamment laissé basculer dans le passé — pour le plus grand profit des adaptateurs — ce qu'individualisme et introspection avaient apporté au roman.

Divorce à l'amiable : on avait tenu Stendhal pour un plus grand psychologue qu'Auguste Comte, on ne tiendra pas Joyce pour un plus grand psychologue que Freud. Mais si la vigilance n'est plus qu'un facteur d'art, si l'on cesse d'y voir l'expression la plus efficace de la plongée intérieure, les moyens narratifs de l'audio-visuel dépassent les siens. Et ils s'accordent mieux au nouvel imaginaire : celui de l'événement, chaque jour renouvelé par la presse.

L'humanité a vécu selon des temps successifs. Un temps sans âge : le temps médiéval de commémorations et d'éternité; le temps des Grandes Monarchies, au rythme vaguement épistolaire; le nôtre, délivré de la plongée dans le " lointain ", l'Afrique, l'Asie — temps du câblogramme et de l'événement. La transformation d'un fait en événement lui donne une intensité comparable à celle du théâtre, plus proche du fictif que du réel. Le cinéma, le roman policier, participent de cet instantané, de l'élément commun à la publicité, la rue, la vitesse et la violence, l'audio-visuel. Les *News of the World* publient un numéro spécial parodique sous les titres : CÉSAR ASSASSINÉ — *Attaqué par trois hommes en plein Sénat, le chef de l'État est percé de coups de poignard — l'un des meurtriers serait le neveu de Caton.*

Parodie qui porte à réfléchir.

La notion d'événement fut assez floue jusqu'à l'usage du télégraphe. Le roi était mort, on avait gagné ou perdu une bataille... L'événement est né de l'actualité, puis de son exploitation. Pourtant, malgré des moyens d'expression plus complexes et plus efficaces que ceux du théâtre, l'audio-visuel ne saisit pas le temps;

il s'efforce de le syncoper, de lui imposer une concentration qu'il attend moins de l'instant que du drame, alors que le roman avait épandu la durée. Celle qui s'oppose le plus clairement à l'instant est celle de la civilisation médiévale, le retour éternel de Pâques et du Vendredi saint; mais seule la narration romanesque, à partir du xviiie siècle, s'était montrée propre à suggérer la durée, comme la perspective l'était à suggérer la profondeur. Il lui faut s'y efforcer; mais le cinéma, s'y efforçât-il, n'y parviendrait pas. Ses procédés traditionnels — feuilles arrachées du calendrier, dates reliées par des fondus enchaînés — restent aussi élémentaires que la voix " off " pour peindre des sentiments : moyens d'information, non de suggestion.

L'homme ne gouverne pas son imagination comme son esprit, mais aléatoirement, comme sa sexualité. Il ne décide point d'imaginer, comme de danser : il est un animal imaginant. L'aventure de la fiction suit celle de l'imaginaire : le Moyen Age a vécu dans son Histoire Sainte, sa Légende Dorée, comme Don Quichotte dans ses Amadis. Les masses — pas seulement les amateurs de fictions — vivent aujourd'hui dans un imaginaire qui se prévaut de la vérité, comme l'imaginaire médiéval, et qui rivalise avec lui en étendue, pour la première fois. L'Église entretenait le chrétien dans un mystère sans fin, la presse entretient le citoyen dans un film sans entracte.

Un périodique ne réussit, la presse entière ne se développe, que dans la mesure où ils assouvissent le besoin d'imaginaire des lecteurs — par l'actualisation, la dramatisation : les spécialistes prodiguent la séduction de l'imaginaire à une réalité « garantie par les faits », comme Alexandre Dumas garantit par la présence de Richelieu les aventures des mousquetaires. Chaque quotidien est une journée romancée, qui interroge son avenir, car l'actualité fait du monde un inépuisable feuilleton. Le public appelle l'émotion, et la presse l'en intoxique, par un jeu toujours repris : notre civilisation vit dans le sensationnel comme la grecque vécut dans la mythologie.

Pourquoi le roman semblait-il néanmoins à peine ébranlé?

La modification profonde d'une société ne détruit pas le genre littéraire régnant. A l'apogée du roman, les théâtres étaient aussi pleins qu'aujourd'hui, Claudel succédait à Ibsen. Le roman hasardait seulement son primat.

Ce qui surprend le plus dans sa fiction — la fiction écrite, entre la fiction orale et l'audio-visuel — c'est qu'elle nous semble la moins fictive. Non par un réalisme, mais par une prise de l'homme sur la confusion de la vie, qui opposerait, au mot romanesque, un mot parent du mot expérience; son anti-romanesque s'oppose à la vie, bien qu'il s'y réfère, par une relation avec le destin, que la vie ne connaît pas.

Le roman longe la frontière des formes; on l'admire au nom d'analogies avec elles (composition, force, ordre, style), mais il leur échappe, d'abord par sa fluidité : nous y trouvons un domaine plutôt qu'un genre. Pourtant ce genre si vague devient moyen d'expression de ce qu'on appela longtemps la sagesse. Jugement de la vie, expérience de la vie, livrés par une multiplicité de facettes, événements et analyses qui échappent à la définition, mais que nous saisissons clairement lorsque nous opposons l'intelligence de Stendhal à celle de Zola. Du romancier; non de l'auteur tel que nous le montre sa correspondance, ou la suite d'aphorismes (nombreux chez Balzac) tirés de son œuvre. La saveur de l'intelligence. Celles de Stendhal dans la *Chartreuse,* de Flaubert dans *L'Éducation sentimentale,* ne sont pas de même nature que leurs lettres, leurs propos. Anatole France écrit, après sa visite à Flaubert : « Cet homme, qui connut le secret des paroles humaines, n'était pas intelligent. » Le niveau intellectuel de l'*Éducation* domine pourtant de haut celui des *Dieux ont soif.* Cette qualité est née avec le roman : l'exposé, le discours, la maxime, l'ignoraient. Quelques Mémoires, ceux de Chateaubriand... Pourtant, l'accent n'est pas le même. Le sentiment du destin, comme celui du sacré, est chargé d'une émotion qui n'appartient pas nécessairement à l'art, mais rivalise à coup sûr avec lui. Le romancier hésite entre le montreur de marionnettes et le maître d'un destin aléatoire, pas l'anankê, pas le fatum, ni même le destin chrétien...

Flaubert avait été trop heureux de faire dire à Charles Bovary; « Tout ça, c'est la faute de la fatalité. » Malgré lui, malgré l'épigraphe d'*Anna Karénine,* malgré l'hérédité de Zola, le nouveau facteur du roman est aussi puissant lorsqu'il s'appelle l'inconnu que lorsqu'il s'appelle l'alcool ou la syphilis. En 1880, le dernier-né des romans, le russe, est le plus irrationnel. Les problèmes posés aux auteurs chrétiens par la peinture du péché n'avaient rien de nouveau : ce ne sont pas les jugements portés par Tolstoï sur Anna et par Racine sur Phèdre, qui séparent les deux œuvres, c'est que Racine sait ce qu'il pense et que Tolstoï, quoi qu'il en dise, ne le sait pas. Depuis Dostoïevski jusqu'à Bernanos, la foi ne nourrit pas la puissance de jugement des romanciers chrétiens, mais leur puissance de mystère.

Après les grands Russes, l'imaginaire de roman, en soi, devient de plus en plus énigmatique : *Les Frères Karamazov* ne se passe certes pas dans la vie quotidienne. Et simultanément, parce que l'Homme ne se situe pas beaucoup mieux.

Il l'avait toujours fait en fonction des grandes religions, et continuait, tant bien que mal. Au sens pascalien, peu d'époques auront été aussi distraites du salut éternel, que la fin du xixe siècle. Mais l'athéisme promettait une conception de l'homme plus qu'il ne l'apportait. Du début du siècle à la guerre de 1914, c'est dans l'imaginaire que l'homme s'interroge de la façon la plus pressante. Par des voies qui se savent empiriques, et dont la voie royale est manifestement de pousser le lecteur à la complicité. Cet imaginaire — distinct pour tout lecteur, du romanesque, du roman policier, de la bibliothèque rose — va se déployer en anti-destin, et le roman y rencontrera sa mutation décisive.

La transformation d'Isolde en Anna Karénine, est évidemment plus profondément orientée que par le perfectionnement de la technique narrative et de l'illusionnisme. Pour troublants que soient ses actes, Isolde n'intrigue pas plus Thomas que Béroul ou tout auteur d'un Tristan; pas plus que le Chat botté n'intrigue les conteurs qui en transmettent l'histoire. Mais que le personnage s'émancipe, fasse du conte une histoire personnelle, l'interrogation de l'homme par le romancier commence; le Chat botté ne pourrait changer, mais le personnage mythique d'Isolde se personnalise. Insensiblement, l'auteur veut comprendre cette étrange créature qui lui doit presque tout (mais non le mythe!) et qui pourtant ne cesse de le fuir. L'arme du romancier semblera l'analyse de ses personnages, donc leur possession. Mais l'analyse la plus étendue s'accompagne de l'irrationnel le plus insoumis, comme nous le montrent Proust et Dostoïevski. Le roman d'analyse aboutit moins à préciser la connaissance de l'homme qu'à approfondir son mystère. Ce n'est pas dans une accumulation de secrets que l'artiste trouve sa démiurgie; c'est dans la transformation globale du destin subi par le personnage, en destin dominé par le romancier. Le roman moderne est un combat entre l'auteur et la part du personnage qu'il poursuit toujours en vain, car cette part est le mystère de l'homme. Anna échappe à Tolstoï, qui gouverne pourtant comme une symphonie, son destin perdu. Isolde n'échappe pas à Thomas, à Béroul, à leurs rivaux, bien qu'ils la différencient : non parce qu'elle leur est soumise, mais parce qu'elle les domine.

En huit ou neuf cents ans, et même à l'intérieur d'un seul sentiment : l'amour, le romancier, qui se prévaut de « connaître les hommes pour agir sur eux » n'a découvert que l'être humain comme énigme. Mais aussi un affrontement sans précédent avec cette énigme.

Balzac en eut pleinement conscience. Non sans légèreté. Car il ne traitait point ses héros à son gré; il naviguait selon un courant de l'imaginaire où nos phantasmes se mêlent à notre expérience — et il le savait. Mais cette autonomie va s'effacer devant une autre. Le monde d'*Anna Karénine* n'est pas pour les lecteurs ce qu'il fut pour elle, de même que celui de *Madame Bovary* n'est pas pour nous ce qu'il eût été pour la malheureuse Emma. Pourtant Tolstoï, Flaubert (et leurs lecteurs, à seconde lecture), savent quand Anna et Emma se tueront, alors qu'elles ne le savent pas. Un pouvoir énigmatique est entré en jeu, différent de l'imagination, du brio narratif, de l'observation; et même de l'autonomie des personnages. C'est le pouvoir de dialoguer avec le destin. Il va séparer le roman de ses prédécesseurs. Dumas se souciera du destin de ses mousquetaires lorsqu'ils vieilliront, et le public ne le suivra plus. On s'était attaché aux aventures, et aux sentiments. Une troisième dimension paraît — comme la profondeur, autrefois, en peinture. L'homme des grandes religions s'était conçu à sa manière confuse et forte, éclairé par les dieux, la Loi, le sens qu'il donnait à la vie. Désormais, la question chasse la réponse. Bien que chaque paragraphe d'un roman affirme, tout grand roman interroge. Qu'on le compare au théâtre où le discours, orienté par l'action, fait bloc; mieux, au roman policier. Si nous rapprochons les imaginaires de Dostoïevski, de Dickens et de Balzac, l'interrogation de chacun devient particulière et constitutive : mais de quel grand roman l'interrogation est-elle absente, à commencer par *La Comédie humaine,* malgré les célèbres flambeaux de la religion et de la monarchie? A commencer même par l'ancêtre, *Don Quichotte.* Ou peut-être, tenons-nous pour grand, tout roman qui atteint à l'interrogation... Comparé aux romans romanesques, du *Grand Cyrus* aux *Trois Mousquetaires,* en passant par *La Nouvelle Héloïse,* le roman moderne retrouve un accent perdu depuis la tragédie grecque, et même *L'Assommoir* pourri de fatalité, broie ses Atrides de la Goutte-d'Or. Le romancier, capable à la fois de montrer et de trahir son personnage, exercera sur lui — et sur le lecteur — une action que le théâtre n'a pas connue. La complicité avec la vie devient une des formes du génie. Shakespeare avait pu montrer le destin à l'œuvre, mais non créer cet imaginaire où s'ajoute au drame, avec la durée, l'accent démiurgique qui sépare de son christianisme, le romancier chrétien; qui n'appartient pas au Christ, peut-être pas à l'auteur, comme s'il venait de l'imaginaire lui-même; la dimension qui fait que les époques de grande foi ignorent le roman et que Dostoïevski semble subir son génie comme son épilepsie : le vertigineux accent du vide que creuse l'absence de Dieu, là où il devrait être.

Tenir le prestige qui va faire du roman le genre majeur de la littérature européenne, pour une promotion du roman des siècles précédents, serait croire qu'on voit dans *Manon Lescaut* ou *La Nouvelle Héloïse,* des livres rivaux des *Pensées* de Pascal — alors que l'on penserait à Dostoïevski. Les deux genres triomphants sont les deux genres ignorés ou dédaignés par l'antiquité, le roman et l'essai; comment écarter le lien entre l'essai et la bibliothèque, lorsque Montaigne s'enferme dans sa librairie? Le roman ne doit pas son prestige à une définition nouvelle, mais à ce qu'il échappe de plus en plus aux définitions. La littérature se scinde en romans et non-romans, le roman n'étant pas plus précis que " le reste ". Et comment son interrogation secrète ne le valoriserait-elle pas, dans une civilisation qui devient interrogative? Il est mis en question à la fois par son évolution, c'est-à-dire par sa vie même (de Madeleine de Scudéry à Dostoïevski...), par la radiographie qu'en font les adaptations, par l'existence même de l'audio-visuel; et tout ce qui le met en question le grandit. Un autre élément le grandit peut-être, le transforme certainement; il nous retient à peine, parce qu'il transforme toutes les œuvres d'art. Les romans furent souvent des œuvres contemporaines (ou presque) et provisoires. Un bon roman survivait, sans doute; mais sans l'éclat de postérité qui s'attachait au théâtre, aux Anciens. En 1976, nous parlons de Balzac comme de Corneille, de Stendhal comme de Racine.

Les romans d'Horace de Saint-Aubin, comme ceux de Ducray-Duminil, n'appartiennent qu'à la Restauration; *Les Illusions perdues*, *Le Rouge et le Noir*, évidemment pas. C'est pourquoi toute interrogation d'un art de l'imaginaire rencontre de façon fugitive, le sentiment religieux.

L'art n'est pas une religion. Mais l'artiste créateur obéit à coup sûr à une vocation, qui n'est pas de plaire, et se rapporte fort à la

définition que le dictionnaire donne de la foi :
« adhésion totale du cœur et de l'esprit ». L'appel à la création, que le Musée Imaginaire ressasse irréfutablement, existe à l'égal du besoin religieux de communion — à l'égal du sentiment maternel peut-être. L'histoire ne prend pas volontiers conscience du caractère insolite de la création littéraire. Elle semble curieusement ignorer qu'aucun art ne va de soi.

Rencontrer, parmi ses camarades de chambrée, un soldat qui lit de vrais livres, établit une complicité. L'ignorance des autres n'est pas en cause. Jamais l'homme, même instruit, n'a nécessairement aimé les chefs-d'œuvre. Comment les connaissances, la qualité de l'esprit, en imposeraient-elles le besoin, puisque des scientifiques d'un niveau intellectuel élevé sont couramment étrangers aux arts?

Tout collégien connaît *Le Cid*, qu'ignore l'écolier de la Communale; mais on lui a enseigné à connaître Corneille, non à s'en émouvoir. L'amateur de la bibliothèque, de la discothèque, des Musées Imaginaires, est lié par l'émotion aux maîtres du passé, comme ses voisins le sont aux romans policiers. Le nombre des autodidactes de l'art ne cesse de s'accroître, heureusement; que seraient d'autre les scientifiques artistes? En France, la littérature demeure un sujet de conversation mondaine — qui n'est pas pour autant celle de Baudelaire discutant de Laclos avec Théophile Gautier. Les mondains parleraient d'autre chose de la même façon. Pas les écrivains.

Mais le lecteur à qui la littérature resterait nécessaire s'il n'en parlait jamais, s'il vivait dans la solitude, ne devient saisissable, lui aussi, que par une vocation. (Sommes-nous assurés, d'ailleurs, que le simple souci de la qualité de l'homme ne soit pas vocation?) L'amour de la littérature serait un goût, parce qu'il dispense un plaisir? Ses fidèles forment une secte presque au même degré que les écrivains eux-mêmes, que les peintres. Et sur laquelle la postérité agit de façon complexe. Personne ne lit Feuillet, alors qu'on lit Flaubert. Qui, on? Pas les héritiers des lecteurs de Feuillet, qui lisent Delly. Or, le caractère spécifique de la secte, même lorsqu'elle se réfère à la délectation, au degré de civilisation ou à son contraire, est précisément la faculté d'éprouver comme présents les chefs-d'œuvre du passé.

Qu'accompagne une autre seconde vue. Pour le non-artiste, si raffiné qu'il soit, non seulement un livre, un tableau n'appartiennent qu'à leur époque, mais encore la création s'y confond avec la représentation : paysage en peinture, narration en littérature, " sujet " dans les deux cas.

L'auteur d'un roman policier veut résoudre, avec la brutalité la plus convaincante, l'énigme la plus alléchante. Mais que veut réellement Stendhal quand il entreprend *La Chartreuse de Parme?* Dostoïevski, lorsqu'il entreprend *Les Frères Karamazov?* exemple privilégié, par l'assassinat, l'amour, etc. Il est d'usage, en Union soviétique, d'en parler comme « d'un assez bon roman policier ». (Nous, Français, nous méprenons à cause de l'exotisme, bien sûr!) Ce n'est pas un roman policier du tout. Pas plus qu'un roman d'amour, bien que l'amour y figure. Notre intérêt *majeur* ne porte pas sur l'identité du criminel. Parce qu'elle est subordonnée. Comme l'amour. A quoi? Au vrai sujet de Dostoïevski, que nulle intrigue ne résoudra. Le héros des *Karamazov* n'est pas Ivan, même en tant qu'instigateur : c'est le Mal. Et il reste le centre d'intérêt du roman, Mitia innocent ou coupable, condamné ou gracié. Car un vrai roman n'a jamais qu'un vrai sujet : ce qui intéresse le plus profondément l'auteur, qu'il le sache ou non. Il faut se donner beaucoup de mal pour croire que le vrai sujet de Proust n'est pas le temps.

Mais la secte ne s'y trompe pas. L'Ordre de la littérature transmet sa foi et sa règle dans ses invisibles couvents...

XI

LE BALBUTIEMENT DES IMAGES

La métamorphose de l'imaginaire continue. Les découvertes d'hier se conjuguent avec celles qui devraient les annuler, les magazines avec la télévision. Lorsque dans les poubelles de Paris, pendant la grève des éboueurs, les amoncellements de papier illustré recouvrirent partout les détritus, nous apprîmes que les entrailles de Paris disparaîtraient, désormais, sous les images éphémères de la planète... Et déjà un imaginaire sans traces succède à la presse en la syncopant et la synthétisant, cherchant son impact dans la forme qu'il donne, et non dans le commentaire qui l'accompagne. L'image mobile n'est pas seulement image, car *Match* ou *Life* ne remplace nullement la télévision en grève. Même pour l'actualité. Quel reportage, quelle photo, rivaliserait avec un alunissage, avec un hold-up télévisé, qui changent en commentaires tout ce qui traite d'eux? Et c'est bien les commentaires que la télé (malgré les siens, de plus en plus mal supportés) chasse de l'imprimé, de la radio, d'elle-même. Elle ne supporte plus que le texte-réponse, indispensable, incorporé. Les téléspectateurs continuent à acheter un journal dont ils ne lisent plus que les titres. Les photographes appelaient les rédacteurs, " les tartiniers " : de la presse entière, la télé fait un bavardage.

Jusqu'en 1939, jusqu'en 1914 surtout, la presse avait pour raison d'être de proposer un monde intelligible; la télé propose un monde de plus en plus impatient, de moins en moins concevable : comparée à un numéro des *Débats*, voire du *Temps*, la journée présentée par le petit écran fait figure de roman policier. La relation avec l'actualité s'inverse. Au cinéma, la fiction dominait l'actualité, lever de rideau hebdomadaire, revue illustrée d'un proche passé. L'actualité télévisée concerne le présent, déborde sur le proche avenir, héritière des quotidiens plutôt que du cinéma. Et la fiction en devient à l'occasion le feuilleton – la dépendance; d'autant plus que sa narration devient plus illusionniste, abandonne davantage l'autonomie que le cinéma avait due au film muet.

207

Le grand film comique américain, qui emplit les écrans de 1930 lorsque travaillaient simultanément Chaplin, Buster Keaton, Harold Lloyd et leurs rivaux, a disparu. Charlot n'a pas de successeur. Le drame, où la recherche proprement cinématographique régnait encore au début du parlant, s'oriente vers une narration proche de celle du roman policier aux États-Unis, du roman tout court en Union soviétique : Hitchcock et James Bond à la place de Sternberg, de Stroheim, Gance ou René Clair; le Zarkhi d'*Anna Karénine*, à la place d'Eisenstein et de Poudovkine. Un niveau de création de plus en plus faible, d'illusionnisme de plus en plus fort.

Niveau presque toujours « populaire », mot obscur qui désigne, semble-t-il, le goût d'une fiction conventionnelle, romanesque, violente ou sentimentale. Charlot n'échappe (pas toujours) à la romance, que par l'invincible liberté du burlesque. Pourtant chacun pensait, en 1930, que Shakespeare s'était adressé à tous autant que Balzac, et que si le niveau des arts incarnés, théâtre et cinéma, paraissait inférieur à celui du roman, des œuvres de théâtre — Eschyle, Shakespeare, Claudel — restaient au premier rang de la création. Et le langage propre au cinéma avait menacé, deux fois au moins, de rivaliser avec l'imaginaire du roman, non avec celui des cartes postales.

D'abord chez Chaplin, à partir de *L'Émigrant;* mais le langage de Chaplin se confondait avec celui de Charlot. Puis, chez Eisenstein. Un grand écrivain peut décrire la lente levée vers le ciel, du pont de la Néva, qui interdit aux insurgés le centre de Pétrograd, dans *Octobre :* le pont qui porte le cadavre de femme dont les cheveux pendent sur le ciel. De telles images sont nombreuses dans *Les Misérables.* Mais cette chevelure dont la chute reste verticale alors que le pont se lève sur le ciel morne, suggère la souffrance des créatures humaines, et le pont, l'implacable distraction de ce qui les fait souffrir depuis qu'elles souffrent, depuis que les mondes tournent avec l'indifférence et la perfection des ponts qui se lèvent.

Aucune photo, aucun tableau du pont de la Néva ne possédera le mouvement qui lui apporte sa vie monstrueuse, et à la chevelure, sa poignante survie. Un pont levé n'a pas l'agressivité d'un pont qui se lève. Les squelettes de papier dont le carrousel d'ombres passe, à

Mexico, sur les faces riantes des enfants, défient la photo fixe, sont liés à leur passage, qui suggère aussi la précarité de la vie. De telles scènes appartiennent à un monde cinématographique aussi particulier que la caméra elle-même, indépendant de toutes les formes d'imaginaire qui l'ont précédé.

En quinze ans, le cinéma était donc devenu un art de premier rang, d'une diffusion internationale plus grande que celle du roman; capable, peut-être, de retrouver l'audience unanime de la tragédie grecque. En marge de cette éventuelle communauté, l'amateur — entendons, le passionné — de cinéma s'était formé, comme celui du roman, du théâtre ou de la peinture, en devenant sensible au style : à ce qui, dans le film, ne se confondait pas avec son sujet. Le cinéma *futur*, promis par celui de 1930, mettait en question le roman avec plus de force que les plus grands films. Mais ce cinéma est devenu le nôtre, sans découvrir sa bombe atomique ni sa pilule; cet enfant a grandi sans mûrir. Ce qu'on appela, jusqu'à la guerre, le monde du cinéma, s'éloigne, se constitue en puissant survivant (du passé cependant) presque à la manière de celui du roman. La télé le diffuse comme elle diffuse les adaptations. N'ayant inventé aucun Charlot, elle diffuse le vrai, choisit, transmet un cinéma de 1930 digne des cinémathèques. Et qui nous interroge, avec beaucoup plus de force que la production commune d'alors, sur une expression de l'imaginaire, rivale de l'écriture – alors que la production d'aujourd'hui s'oriente moins vers l'imaginaire que vers l'illusionnisme.

Prenons garde toutefois que l'imaginaire de la télé n'est pas l'héritier de ce cinéma choisi, de sa part de génie. Le théâtre ne fut pas la représentation des meilleures chansons de geste; le roman, la narration des meilleures pièces de Racine, de Shakespeare ou de Victor Hugo. L'imaginaire crée ses valeurs. Même d'une école à une autre. Racine ne se soucie point de remplacer par ses amantes forcenées le souverain « maître de lui comme de l'univers », il crée la valeur artistique de la passion contre celle de l'exemplarité. Le génie des films révolutionnaires d'Eisenstein illustre le bolchevisme, il ressuscite aussi l'épopée. Les imaginaires se succèdent par métamorphose plutôt que par filiation.

En outre, notre époque ne devient un temps

des images que par métaphore, bien que les images l'envahissent. Toute ère commence à l'écriture; mémoire sans doute, mais d'abord, moyen d'élaboration. Or, les images transmettent, elles ne construisent pas. Le roman vit de l'écriture, mais la science aussi, en lui ajoutant les chiffres. Un imaginaire qui se substituerait à celui de l'écriture le ferait comme la musique, qui coexiste avec elle mais ne saurait la remplacer, parce qu'aucune civilisation ne se construit sur la musique. Si la nôtre se trouve mise en question, c'est par d'autres voies.

Jusqu'à nous, « J'étais là; telle chose m'advint » formait bloc : si " je " ne s'était pas trouvé là, ce qu'il relate ne fût point advenu. Or, il nous advient un nombre infime d'événements. L'être humain vivait dans le vague comme dans l'air. Une jeune fille envoyée par les saints venait de chasser les Anglais d'Orléans... Le monde n'était pas fait d'événements, mais de quotidien et de surnaturel; le fantastique commençait où notre regard s'arrêtait. Ce n'est pas seulement jusque sous Saint Louis, que les Croisés ont cru atteindre Constantinople quand ils arrivaient devant Mayence... Les voyages de Loti en Asie nous parlent d'êtres, de villes, plus éloignés de nous que l'Orient de Lamartine ou de Chateaubriand. Le monde, c'était ce qu'on ignorait. Pas seulement au temps de Plan Carpin, de Marco Polo; Gobineau nous parle de sa Perse, comme notre télé, de la lune, et de ses Persans comme d'Ovnis. Au-delà du Levant, tout devenait Tibet. Seuls les pays voisins étaient exotiques; les lointains étaient fantastiques. L'imagination aime les dragons et les chimères. Que pesaient les rares témoins? Les missionnaires n'ont pas effacé les Tartares qui se protégeaient du soleil en s'enveloppant dans leurs grandes oreilles; les comptoirs de Canton étaient ouverts au temps des chinoiseries; les pagodes tremblantes de grelots, les bouddhas d'émeraude, se rencontrent, au xixe siècle, à tous les coins de chapitres. Les diables ont des cornes, et les anges, des ailes. L'inconnu était naturellement fantastique.

Mais nous faisons connaissance avec la terre. Déjà le rôle de l'audio-visuel s'inverse. Les actualités cinématographiques de jadis s'adressaient à un exotisme qu'elles illustraient par ses monuments et ses cérémonies. Même cet exotisme-là résiste mal à la familiarité : un téléspectateur connaît Tien An-men, la place de

Pékin, mieux que les plus belles places de nos provinces. Le cinéma de fiction, l'actualité de télé, détruisent peu à peu le fantastique dont ils furent les agents. On n'a jamais tant vu les monuments moghols qu'au cinéma, mais les films indiens nous montrent aussi les rues de l'Inde. Jamais tant vu les nouveaux gratte-ciel, mais l'Empire State dans un hold-up se rapporte à celui-ci et non à la Cité interdite de Pékin : à la vie quotidienne et non à l'imaginaire (l'architecture, c'est l'imaginaire des maisons). Les images changent plus par leur passage du gratte-ciel au fait divers, que de ce gratte-ciel projeté en noir, au même en couleurs. Il ne s'agit plus de genres rivaux (documentaire amusant contre documentaire historique), mais l'intrusion de la planète dans le salon, en face de quoi la photo, immobile, reste paralysée : une voiture des quatre-saisons devant le Louvre n'appartient pas au même domaine que le film du marchand qui passe devant la colonnade. Pas à la même vie. Photos, animaux empaillés.

Or, ce changement du rapport de l'homme avec la terre, que nous entrevoyons, sera aussi éclatant dans un siècle, que l'est pour nous le

passage du daguerréotype au cinéma. Le romanesque, en s'effaçant, nous révèle que tout ce
qui éclairait les détails cachait l'immensité,
qu'on n'éclairait un monde qu'en cachant le
monde. Monument ou taudis, ce qui nous était
montré l'était pour persuader, mais on ne
démontre pas le monde en le montrant, même en
le truquant. Si un film projette une succession
de palais, c'est pour comparer leurs styles;
mais, bien qu'il existe une orientation des
images — et d'abord celle que nous souhai-
tons inconsciemment — tout change devant la
masse de l'audio-visuel, qui ressemble à la
vie.

Il est dans la nature des hommes de croire
que ceux qu'ils n'ont pas vus s'enveloppent
dans leurs grandes oreilles; mais aussi de croire
à mille différences irréductibles, qui, elles, ne
résistent guère au quotidien. Les rencontres y
pourvoiraient? Combien de touristes par jour,
et combien de téléspectateurs? Ce qui entre en
jeu depuis quelques années est l'attitude fondamentale de l'homme devant la terre, devant les
hommes, irrationnelle et profonde comme sa
conscience de lui-même. Quand elle l'écarte
d'eux comme lorsqu'elle les en rapproche, que

sont ses formes politique, morale, religieuse, en face du véritable enjeu de la métamorphose, apprivoiser l'univers?

La bombe atomique étonne moins Dupont, que l'arc-en-ciel ne stupéfia Noé. Le rapport fondamental de l'homme et du monde, qui dessine les civilisations, avait été relativement constant — jusqu'à nous.

L'homme ne s'éprouve évidemment pas homme de la même façon dans l'Ancien Empire d'Égypte ou la France gothique. Mais un Égyptien de l'Ancien Empire emportait son univers avec lui comme son âne, un chrétien du xiiie siècle aussi. Il y avait des voyageurs; nous inventons les voyagés. L'être humain est assailli par la terre, questionneuse opiniâtre, impatiente, mais constamment voisine. Il semble parfois que l'audio-visuel appelle la métamorphose, parfois qu'il l'attende. Il a dès maintenant métamorphosé la terre : Joseph Conrad n'aura pas de successeurs. L'alphabet, l'imprimerie, l'instruction obligatoire (c'est-à-dire la généralisation de la lecture) ont changé les préhensions réciproques de l'homme et de l'imaginaire. La télé ne surgit pas par accident, de notre époque sans durées ni distances, elle lui ressemble. Les ondes détruisent l'espace comme les avions; et le temps, beaucoup mieux.

Il est possible que la filière du théâtre nous égare, comme nous égarerait celle de la presse. Dans la seconde, la mutation se produisit lorsque entrèrent en jeu le câblogramme et la similigravure. La télé continue le cinéma parce qu'elle le diffuse, et à des spectateurs isolés; mais la filière des westerns rejoint, au petit écran, celle des actualités. Nous n'avons jamais connu tant d'images de nos rêves; jamais non plus, de la réalité qui nous accompagne. Car l'ubiquité de la télé, épisodiquement au service d'un sujet, est impérativement au service du présent : la Cité interdite de Pékin peut figurer dans un film sur l'architecture, mais elle bondit dans le petit écran si Chou En-lai meurt. Rien n'exprime encore le : « En tous lieux, tout de suite! » de la télévision, mais chacun de nous en a pris conscience lorsque la résille des chaînes qui couvrent la terre a transmis l'alunissage des premiers cosmonautes.

De tels événements forment l'Olympe du sensationnel, qui conjugue la réalité de l'alunissage, avec un merveilleux où la prouesse et l'inconnu font appel à l'imaginaire; cet

Olympe a pour dieux les événements que nous voulons tous regarder. Quoi de commun entre l'alunissage et les funérailles de Churchill? L'actualité, malgré tout ce qui sépare les secondes, du premier; et la participation commune des spectateurs. Participation inséparable de l'ubiquité. Le spectateur ne tient pas de telles émissions pour des émissions quotidiennes d'actualités " en mieux ", il y pressent aussi les cérémonies d'une religion sans dieux ni culte, sacrées (comme n'importe quelle cérémonie par n'importe quelle multitude) par la communion de la plus vaste foule éparse — devant la Lune, devant la mort. Les fictions saisissantes de l'audio-visuel *cinéma compris*, paraîtront-elles dérisoires, comparées au surgissement, après six siècles, d'un nouvel imaginaire-de-Vérité? Il se peut qu'au-delà du roman, cinéma et télévision trouvent, dans leur théâtre à tous vents, le génie que Shakespeare trouva sur ses planches; il se peut aussi que le siècle prochain n'attende plus d'un autre *Macbeth* sa plus intense poésie, mais la trouve dans ce qu'il appellera le *premier* alunissage...

Les actualités télévisées (la politique écartée) nous semblent objectives, selon le processus qui fit croire à l'objectivité des arts; nous voulons que ses images se réfèrent exclusivement au monde de leurs modèles, alors que beaucoup d'entre elles se réfèrent — les unes délibérément, les autres involontairement — au monde de l'audio-visuel, qui affleure, et dont le cinéma n'est plus qu'une province. Les événements historiques, leur lutte contre la mort et la condition humaine, l'ubiquité de leur diffusion, le " jamais plus " de leur fixation, tout cela se mêle aux plus simples images. Toutefois, supposer objectives des images, est d'abord les supposer *isolées.*

Une séquence prend un sens, même lorsque le cameraman n'en cherche pas; les plus saisissantes images d'Eisenstein sont des fragments de séquences, non des photographies. Le portrait de la journée, que nous propose un quotidien, est d'abord un journal. Les images qui vont constituer le monde de la télévision posséderont en commun leur appartenance à la télévision et non aux cartes postales, une marge, un style — au moins ce qui sépare les films des dernières années et les actualités, malgré la soumission toujours accrue de ces films à l'illusionnisme. Ces images se rassembleront par leur nature : comme les tableaux se trouvent au musée par le style de leur auteur, non par la perfection de leur illusionnisme. Dans les rétrospectives familières à la télévision, dans les émissions nécrologiques, faites d'anciennes séquences, il ne faut pas grande attention pour distinguer le montage de la mort.

Comment douter de la formation d'un monde audio-visuel, au sens du monde-du-roman que chaque année cerne davantage? Il nous enserre. Il choisit, annexe, pressent sa cinémathèque, accueille les funérailles des Césars futurs, rêve du prochain montage rival des trains noirs arrêtés à la même minute dans les solitudes sibériennes, avec leur sifflement de détresse pour la mort de Staline. Il sait qu'il envoie aux poubelles les commémorations des magazines. Sa prospection n'a rien de commun avec celle de l'engagement, de la propagande : elle ne tend pas à faire prendre un imaginaire pour une vérité — à persuader — mais plutôt à donner à des réalités l'éclat confus de l'imaginaire. Cette prospection crée son imaginaire comme les précédentes : le cinéaste trouve des plans dans les spectacles comme le dramaturge a trouvé des scènes dans l'histoire, comme le romancier naturaliste a trouvé, dans la vie, les scènes que les Goncourt notaient dans leur *Journal*. L'audio-visuel oriente ce qu'il prétend rapporter. L'élaboration d'un imaginaire par lui-même, par sa vie d'organisme, échappe totalement à celle qu'on lui prête — parce qu'elle est plus puissante que les déterminismes, l'histoire et l'imitation.

Nietzsche dit que la surdité n'est pas une façon particulière d'entendre la musique; le téléspectateur n'est pas une catégorie de spectateurs au sens ancien. Ceux du théâtre regardent la scène, lieu où se joue la pièce. Ceux du cinéma regardent l'écran. Leurs voisins les regardent, jugent de leur rang par leurs vêtements, maugréent s'ils bavardent. Anonymes, mais non délivrés de leur identité, chacun retrouve devant le petit écran ce qu'il est seulement pour lui-même — beaucoup plus qu'une identité, mais pas plus responsable que devant ses phantasmes. D'un fauteuil de cinéma, il regarderait le spectacle; assis dans un café, il regarderait les passants — qui le regarderaient. Alors que personne ne parle au téléspectateur, même lorsque le chef de l'État s'adresse à lui. Il le fera taire en tournant son bouton, et le Président ne le saura pas. Ce Président ou cette vedette, il les épie, les juge, semblable aux diables souleveurs de lucarnes — et pourquoi appelle-t-on lucarnes les petits écrans? La télé est fantastique au sens précis, car si la vedette y devient douée d'ubiquité, le public de " monauditeurs ", comme on dit monologueurs, y devient masse. Et chacun d'eux y trouve une liberté insolite; dans la vie, quand serait-il irresponsable?

Étudier le téléspectateur est plus instructif qu'étudier la télévision. Un film et des actualités à la télé reproduisent les mêmes, projetés au cinéma, alors qu'un téléspectateur ne " reproduit " pas le même, venu du cinéma. La métamorphose n'est pas moins étendue que celle qui fit d'un lecteur un spectateur, cinquante ans plus tôt. Pourtant, l'un regardait des images en mouvement, l'autre lisait. Mais lorsqu'ils assistent à l'alunissage, leur imaginaire a changé. Ils sont entraînés dans la Lune, parce qu'ils voient ce qu'ils ne pourraient pas voir, et que voient les cosmonautes. Au « Je serais d'Artagnan » des enfants, a succédé « Je serais dans la Lune ». Alors qu'ils savent qu'ils n'y sont pas, comme les lecteurs savent qu'ils ne sont pas d'Artagnan, ni, d'ailleurs, Julien Sorel. Cette opération sur l'imaginaire-de-Vérité n'est tout à fait étrangère ni à la participation romanesque ni à l'action de la presse... Qu'on regarde le petit écran comme une radio en images, il devient fiction; qu'on le regarde comme un film, il devient journal.

Le lecteur du journal était informé, le téléspectateur est engagé — possesseur collectif des continents, comme le visiteur du musée est possesseur des tableaux — associé mais paralysé, puisqu'il ne peut intervenir; néanmoins prêt à dire : « J'étais là », vaguement conscient de l'opération qui change son rapport fondamental avec tout, y compris lui-même. Le monde se sépare de l'homme pour devenir spectacle : depuis le match, qui l'était, jusqu'à la rue banale, qui ne l'était pas. L'univers enveloppait l'individu, ses chambres avaient quatre murs, d'autres hommes se tenaient derrière lui. Il subissait le temps; naguère, il pénétrait peu à peu dans l'espace

— et dans le passé, le paquebot s'enfonçant de la Méditerranée dans l'Afrique, l'Inde, l'Extrême-Orient... L'image, qui semble reproduire innocemment son modèle, le reproduit par un accord non moins arbitraire que le récit, parce qu'elle détruit l'immersion de l'homme dans le monde. Le temps et l'espace de l'écran, conventions universelles, rétablissent avec l'univers le dialogue muet établi déjà avec la vedette si proche — mais inaccessible parce que le public, enchanteur impuissant, reste séparé d'elle par la vitre fictive...

Imaginaire-de-Vérité des temps modernes? Il fait partie de la vie comme en fit partie l'oraison ou l'église; bien différent de la rêverie, même de celle qui accompagnait encore la bibliothèque. Dès maintenant, la télévision contraint l'homme à l'imaginaire. Lorsque le temps était mesuré par les cloches, avant les horloges, on entendait les heures, les fêtes, relier le présent au passé par leurs commémorations d'angélus. Aujourd'hui, la journée est scandée par l'émission d'actualités du matin et l'émission du soir, présent incarcéré à l'affût du lendemain — relié, par le contraire des commémorations, au contraire de l'éternité.

Encore la télé ne transmet-elle pas un alunissage tous les jours. Mais elle enveloppe tous les jours le téléspectateur, le délivre de sa condition comme les commémorations médiévales en délivraient le chrétien pour l'emporter dans leur temps sans âge. Devant la télé comme un animal domestique, qui, est domestiqué? L'écran. Possesseurs intoxiqués? Ères lointaines, où ces possesseurs de jadis, plantés dans leur temps et leur terre comme des pieux! En changeant la relation fondamentale de l'homme avec le monde, la télévision frappe un domaine comparable à l'espace et au temps. De tout ce qui l'entoure, et qu'elle rend passager, elle fait ce que nous avons fait de sa civilisation : un aléatoire.

Invisible révélateur de l'imaginaire qui le précède. Le terme monde-du-roman l'exprime mal, et la métamorphose qu'il lui impose en le révélant le nommera bientôt autrement. Car cette métamorphose nous révèle pourquoi l'artiste vit dans une résurrection plus que dans un héritage, comment se sont constitués simultanément le domaine que *nous* nommons poésie, et le tribunal secret qui assure l'ensemble des résurrections.

XII

MÉTAMORPHOSES

La reproduction nous distribuait toutes les formes de la terre, mais il n'allait pas de soi que notre époque dût s'en soucier, pousser sa passion jusqu'à l'Océanie et à la préhistoire. Les Chinois inventèrent la poudre et l'employèrent aux feux d'artifice; pourquoi n'aurions-nous pas employé exclusivement la photogravure, à reproduire des pin-up? Pourtant, l'avidité qui nous fait demander à la télévision toutes les images, comment ne pas la lier à la résurrection de tous les arts de l'histoire, de tous les arts sans histoire? Pas seulement des arts plastiques; mais le disque, le classique de poche, touchent trois millénaires (mais souvent, si peu!), alors que la sculpture s'enfonce dans le temps jusqu'aux glaciations, dans l'espace jusqu'à la sauvagerie.

Rien ne nous transmet la métamorphose avec autant de force que les œuvres d'art, parce que ni la culture sumérienne, ni même l'épopée de Gilgamesh (que nous lisons dans une traduction) ne nous requièrent au même degré que les statues de Goudéa. Pas même la profonde rumeur qui les accompagne : la métamorphose de la religion.

Le xviiie siècle avait transformé le christianisme en superstitions; le xixe l'avait transformé en morale. On découvre la sculpture gothique vers 1860; le romantisme n'avait découvert que l'architecture. On découvrira les grands siècles chrétiens, comme la littérature, " en remontant ", avec l'aide de l'art, de l'archéologie, de l'ethnographie, de la poussée sans nom qui exhume le sacré comme la Renaissance exhuma sa beauté platonicienne. Les fureurs suscitées par la *Vie de Jésus* (celles de ses amis comme de ses adversaires) nous éberluent. « Écartons d'abord tout surnaturel », écrit Renan jusqu'à la fin de sa vie. Bonne méthode, pour comprendre l'art égyptien, *Le Livre des morts*, l'épopée de Gilgamesh et même *L'Orestie*... Les mystères sont discrets, les miracles aussi : le Christ a peut-être un peu ressuscité? L'Occident, gêné, concède à Dostoïevski un génie d'énergumène, tient le Bouddha de Schopenhauer pour un oncle de Zarathoustra. Un écrivain londonien ou parisien qui déclarerait que la foi est l'âme d'une religion dont la morale est à peine le corps, et que le sacré est d'abord le Tout-Autre (selon la définition de Rudolf Otto en 1917, car l'idée de sacré n'était pas isolée il y a cent ans), cet écrivain resterait inintelligible. Nous avons redécouvert les grands siècles chrétiens sous le christianisme moraliste du xixe, comme le tympan roman d'Autun sous les stucs jésuites; mais nous entendons la voix de Chartres comme celle de Memphis : non comme le balbutiement de la nôtre : comme la voix d'un autre imaginaire.

Métamorphose parente de celle des arts plutôt que de celle des lettres, mais qui éclaire la seconde. Le Musée Imaginaire n'exige pas de traducteurs; l'imprimé annexe une partie de l'oral (c'est par l'imprimé, que nous sont transmis *L'Iliade*, Shakespeare, Molière), de la même façon que la fiction imprimée semble annexer le vaste domaine de vie et de sagesse qu'on avait appelé littérature. Et il est significatif que la bibliothèque ait été changée par le genre qui supporte le mieux la traduction.

Avec les formes lointaines ou disparues, depuis Sumer jusqu'à l'Afrique noire, en passant par les hautes époques de l'Asie, le Musée Imaginaire nous propose les mythes auxquels nous ne nous rattachons pas; alors que la bibliothèque, avec les Anciens, avec les œuvres médiévales, nous apporte les mythes auxquels nous nous rattachons. Comparée au musée, cette bibliothèque semble petite. Non que nous exigions qu'elle emplisse l'histoire; mais à quoi tient qu'elle ne l'emplisse point? Les langues ne nous semblent pas seules en cause. Le seraient-elles, que les limites auxquelles les idiomes astreignent leur art majeur, comparées à l'universalité des formes, nous intrigueraient, nous retiendraient.

La résurrection de l'art des hautes époques par la sculpture, impliquait une foisonnante résurrection d'œuvres religieuses, l'art de ces époques étant presque exclusivement religieux. En revanche, ni Gilgamesh, ni le Rig-Veda, ni le Popol-Vuh ne se délivrent de l'archéologie. Quelle épopée avons-nous ajoutée à Homère? Israël, l'antiquité, exercent sur nous une complicité formatrice qui, à la rigueur, franchit la barrière de la langue. Alors que la *Bhagavad-Gita* reste en Occident pâture de spécialistes, même dans la traduction de Gandhi. Pas un mythe de l'Inde ou de la Chine ne vit pour nous à l'égal de Tristan, pas même la vie du Bouddha, pourtant sublime. Nous croyons que Saadi fut un rival de Keats, alors qu'il fut un rival de La Fontaine : sa gloire vient de nos poètes, non de ses poèmes. Villon n'est pas moins présent que la *Pietà d'Avignon;* et Virgile ou Keats, dans l'original. Mais il ne faut pas remonter trop haut... Nous connaissons les limites de tout Musée Imaginaire de la littérature — à l'époque où celui de la sculpture annexe la terre.

Il y a cent ans, les statues de l'Ancien Empire étaient aussi muettes, archéologiques, documentaires, que *Le Livre des morts.* L'universalité que nous accordons au monde de l'art c'est nous qui l'avons découverte. La littérature la suit à la traîne. La diffusion des photos des Classiques de poche égale pourtant celle du Musée Imaginaire. Mais il n'y a pas de commune mesure entre l'interrogation de la *Grande Chanteuse* sumérienne et celle de *Gilgamesh,* entre celle d'un fétiche et d'un chant africain, celle du Musée Imaginaire et de la bibliothèque. L'interrogation posée par le discours suggère toujours des réponses; l'*Apologie* de Pascal eût été plus affirmative que les *Pensées*. On tenait le monde des images pour plus concret que celui des mots; mais si *une* forme est évidemment concrète, la multiplicité des formes — notamment celles de l'art — devient aussi peu concrète que la musique, sans réponse comme elle, parce qu'aussi prête à s'accorder au mystère, dans un monde — l'art, la musique — qui devient son propre objet, dissout cet accord. L'un de nos textes s'adresse à l'insondable avec l'accent du Musée Imaginaire : le *Livre de Job*. C'est le seul. Alors que ce Musée Imaginaire, au moins jusqu'à l'époque romane, prolonge et multiplie ses échos de caverne, dans une inépuisable réciprocité. Nourrie par l'irrationnel, l'inconscient, le secret, l'énigme, car pendant des millénaires, les arts plastiques ont *représenté* ce que nul n'avait vu, ce que nul ne verrait que par eux : les dieux.

L'analogie de la révolution de la bibliothèque avec celle du musée commence à la diffusion des œuvres. D'une part, le Musée Imaginaire, les reproductions en couleurs; de l'autre, les Bibliothèques de la Pléiade, les Classiques de poche, dans chaque grande langue de culture. Cette diffusion a lieu, une fois de plus, " en remontant " : *La Princesse de Clèves* trouve dans *La Porte étroite* une actualité, comme Villon chez Verlaine, tels primitifs chez Gauguin. Or, le noyau moderne autour duquel vont proliférer Classiques de poche et auteurs de Pléiades, est fait de romans. Si Victor Hugo tend par son seul génie à dresser Juvénal contre Virgile, aucun Balzac n'opposera le *Satiricon* à *Théagène et Chariclée* : ces deux œuvres conserveront leurs places respectives et mineures, car le roman ancien n'existe pas, bien que les Anciens aient raconté des histoires. Les tableaux de la Renaissance italienne seraient sans doute différents, s'ils n'avaient trouvé leur ferment lorsqu'on exhuma les antiques blanches et sans regard; la bibliothèque contemporaine serait sans doute différente, si la métamorphose des Anciens n'avait été enveloppée par un genre littéraire, et surtout un domaine mental, qu'ils avaient quasiment ignoré.

Le rôle ordonnateur joué par le présent dans

notre révolution est si grand, que nous attachons autant d'importance à la mutation de notre littérature depuis 1917, qu'à l'effacement des études latines. Pourtant, quels amis, aujourd'hui, seraient prêts à s'empoigner parce que l'un d'eux vient de dire : « L'antiquité, c'est le pain des professeurs! », dans une réunion où l'on discutait librement, dix minutes plus tôt, du Christ et de la République? La bibliothèque de chevet des sacrilèges Goncourt rassemblait encore Eschyle, Cicéron, Aristophane, Pétrone, Anacréon. Ni Virgile, ni Juvénal. (Choix original pourtant, car le maître chéri n'était pas Virgile, mais Horace...) La fin du primat des Anciens ne fut pas un événement parce qu'elle fit négliger Horace, mais parce qu'elle subordonna la tradition linéaire, au pluralisme européen; subordination que le règne du roman rendra irréversible. Les classiques de Sainte-Beuve, en devenant les Classiques de poche, remplacent Tibulle par Keats, Horace par Dostoïevski. En outre, cette tradition linéaire ne trouve pas dans la bibliothèque la force qu'elle trouve au musée. Plus habile que la reine de Navarre et Mlle de Scudéry, Stendhal ne l'est pas plus que Voltaire; Hemingway, pas plus que Stendhal. La bibliothèque ne ressuscite pas ses primitifs, et n'annexe pas ses sauvages.

Les hymnes védiques auraient-elles pu devenir des œuvres d'art, présentes pour nous de la même façon que les statues de Chartres? On y pense, lorsqu'un traducteur de talent, archaïsant systématiquement sa traduction, fait de quelques passages des Prophètes, des versets claudéliens; et même lorsque Leconte de Lisle appelle Clytemnestre, Klytemnestra. Peine perdue. Un grand texte poétique ou religieux *traduit* nous semble amputé : les poèmes traduits perdent ce qui les constituait poèmes. Même dans leur propre langue. " Rédigeons autrement " *Booz endormi*, *Le Balcon*, voire des poèmes en prose de Baudelaire. Ce n'est pas assez de dire qu'ils deviennent prose, puisque *L'Étranger* du *Spleen de Paris* n'est pas en vers : ils deviennent langage, se réduisent à leur sens. Écoutons *Recueillement*, lu comme un article de journal, par un lecteur étranger à la poésie, la main en cornet sur l'oreille : « Entends, ma chère, entends la douce nuit qui marche... » comme s'il attirait l'attention. Le poème, conquis sur le langage, est rendu au néant par l'intonation « réaliste ». Raconté et non récité, il change d'englobant. De même, une littérature religieuse séparée de l'englobant qu'elle devait à sa religion disparue — et à sa langue — ne transmet plus que la part rationnelle, narrative, de son sens. Les missionnaires s'épuisent à faire comprendre que les Paraboles ne sont pas des historiettes. La métamorphose, qui transforme en art l'expression plastique du sacré, transforme en discours son expression littéraire. Les sculptures des hautes époques se rejoignent dans la déformation sacrée, et leurs littératures traduites, dans l'exposé profane...

La faible action de la littérature primitive sur nous vient d'abord du schématisme commun à la sculpture primitive et aux arts plastiques modernes — alors que les poèmes primitifs sont très longs, mais les poèmes modernes sont courts. Ils ne nous apportent pas la même ère de l'humanité. Malgré les tragiques grecs, malgré les Élisabéthains, l'écrit suggère une présence de la conscience, alors que le Musée Imaginaire nous livre l'homme inconnu, enchanteur, possédé. La prise de l'écrivain sur ce qui lui échappe, êtres ou destin, si manifeste dans le roman, nous la retrouvons jusque dans la trilogie de Shakespeare *(Hamlet, Mesure pour mesure, La Tempête)* et celle d'Eschyle; il y a du Molière et du Montaigne dans tout écrivain. Un Musée de la sculpture *profane* du sacré — bien que la plupart de ses figurines provinssent des tombes — ressemblerait au théâtre, plus qu'au vrai musée et à ses dieux capturés. Nous appelons littérature les écrits dont la métamorphose trouve la raison d'être en eux-mêmes, ou dans la rivalité avec d'autres. Elle le fait pour Sophocle, pour Eschyle — pas au-delà d'Homère. Même indéchiffrée, l'écriture est dialogue. L'image, comme la musique, ne nous transmet parfois que la louange, ou l'inconnu. Quelle écriture, fût-elle idéographique, nous interrogerait comme les bisons de la préhistoire?

L'échange horizontal entre les Européens (Nerval, Vigny, Baudelaire, Mallarmé, sont traducteurs), substitué à l'échange vertical avec les Anciens, la conscience du fait poétique lié au fait pictural, amenèrent l'abandon du discours et de la narration. Le grand poète se confond de moins en moins avec son œuvre, de plus en plus avec son mythe. On a vu dans *Les Fleurs du mal*, un recueil d'autant plus romantique, qu'il cherche parfois son action dans l'insistance sur le matériel romantique, le triomphe de la tête de mort sur la houlette; mais du *Balcon* au *Jet d'eau*, notre Baudelaire mythique n'a pas écrit les vers qui composent réellement *Les Fleurs du mal*, il est l'auteur d'un recueil dont toutes les strophes seraient dignes de la fin du *Recueillement*, de « *Et tes pieds s'endormaient dans mes mains fraternelles...* ». Recueil d'où les crapauds imprévus et les froids limaçons auraient disparu, et où je ne suis pas assuré que figurerait *Une charogne*, sauf par sa fin. Quoi de commun entre le mythe du Pauvre Lélian, poète génial des *Ariettes oubliées*, et le fatras des œuvres complètes de Verlaine? La poésie semble hériter innocemment la Bibliothèque du romantisme; mais poésie et peinture deviennent leur propre imaginaire. On mêle des poèmes courts (Nerval, Baudelaire, Verlaine, Rimbaud, strophes de Vigny) à des œuvres étendues — comme les peintres commencent à égaler des natures-mortes aux « grandes machines ». Entre Leconte de Lisle et Apollinaire, qui, publiera un long poème? Le poème court conquiert invisiblement la poésie française du passé : l'anthologie est née.

Comparer celle de Crépet à laquelle participa Baudelaire, avec la Bibliothèque Elzévirienne qui la précédait, fait rêver. Le monde-de-poésie qui hante les poètes devient cette *Anthologie* ou une autre, bien plus que *Phèdre* ou *La Légende des siècles*. Échantillonnage, palmarès, métamorphose? *La Belle Vieille* allégorise un Maynard dont les poèmes ressembleraient à celui-là. Maints poèmes légitimement illustres transfigurent les poètes mineurs. Ils semblent soumis à l'idéal de perfection, que souvent ils écartaient. La réduction d'un long poème à une courte pièce en fait un objet littéraire : *Souvenir* de Musset, *Olympio*, deviennent raciniens. Comme l'agrandissement photographique rend expressionnistes les détails, le fragment rend classique la poésie. Alors qu'elle en romantise les sentiments. Quel accent remplacerait la nostalgie?... L'anthologie ne devient pourtant ni romantique, ni classique. Pré-symboliste? Si, les licornes écartées, la première école qui ne se définisse pas par une doctrine mais par des admirations communes, n'aspire-t-elle pas à l'anthologie, que les poètes admirés semblent continuer — si la naissance de l'anthologie n'avait contribué à la former? Depuis des siècles, la poésie était réponse, quelle que fût la question; elle devient question, quelle que soit la réponse.

Pour que chacun la pressentît, il suffit qu'on cessât de voir en elle l'héritière des Morceaux choisis, qu'elle allait détruire. Ils se proclamaient des produits de l'Histoire. Chaque siècle avait produit ses poèmes et ses tableaux comme chaque pommier ses pommes; le génie de Villon était tombé des gibets, et celui de Mallarmé, des éventails.

Distinguons les poètes qui proclament ce que doit être la poésie, depuis Boileau jusqu'aux surréalistes, de ceux qui s'interrogent sur ce qu'elle est — son essence, disait Mallarmé. L'anthologie n'est pas moins insidieuse qu'*Un coup de dés...* Dans un siècle qui admire simultanément Cendrars, Apollinaire, Péguy et Saint-John Perse, ou Claudel et Valéry, ou tous ces poètes et des surréalistes, tout *système* de poésie se heurte à la banale évidence que nous admirons aussi Villon, Ronsard, les classiques, Victor Hugo, Baudelaire, la poésie moderne — en un mot : l'anthologie. Le lecteur ne répond pas par une définition, mais par une expérience; car cette expérience est antérieure à la question, qui, sans elle, ne se poserait pas. Aux yeux d'un adolescent, l'énigmatique unité de l'anthologie se joue des doctrines, parce que ses camarades et lui la tiennent dans leur main...

Heureusement, car l'autodéfense de l'anthologie demande attention. Dès Crépet, nous l'avons vue présenter les spécimens des meilleurs produits de l'époque. Voici quelques Grands Rhétoriqueurs, et Desportes, Dorat, Lebrun, voire Victor de Laprade. Le lecteur passe outre : l'imprimerie est loin de suffire à assurer la présence d'une œuvre. Cet échantillonnage historique ne résout rien, puisqu'il disparaît lorsque l'anthologie populaire trouve ses cinq cent mille lecteurs; et qu'elle ne les trouve pas en ramenant la poésie française à l'unité (de la poésie pure, sentimentale, éloquente, fantastique), mais en acceptant son énigme fondamentale : comment sommes-nous atteints à la fois par Villon, Racine, Hugo, Rimbaud, Mallarmé? Nous connaissons par Victor Hugo la liste de ses élus. Homère, Eschyle; Job, Isaïe, Ézéchiel; Lucrèce, Tacite; saint Jean, saint Paul; Dante; Rabelais, Cervantès, Shakespeare. Il s'arrête là. En face de cette énumération cohérente, presque symbolique, allons-nous lire la nôtre comme une liste de bibelots, ou comprendre qu'elle n'est pas moins un symbole, car la pluralité de la poésie se symbolise précisément par elle? L'anthologie n'est ni permanente ni épisodique, mais parente éloignée du musée. Elle s'est imposée lorsque la poésie apporta le mystère que le romantisme ne suffit pas à éclaircir. Et dont nous ne nous sommes nullement défaits. Dresser la liste des vingt romans que nous emporterions dans notre île déserte est un jeu traditionnel, mais il faut en serrer beaucoup les règles, pour ne pas emporter *Robinson, Le Rouge et le Noir, Les Possédés,* le plus simplement du monde, comme des œuvres *de nature différente.* Alors que les poèmes qui nous habitent ne sont pas seulement des œuvres différentes, qu'ils n'obéissent pas à un pluralisme de hasard, mais forment une constellation. Quel rapport concevoir entre

Racine et ce que *nous* appelons l'anthologie? Boileau lisait Villon avec indulgence, non avec admiration. Horace était beaucoup plus présent pour lui, et il eût aisément expliqué cette présence. Quel présomptueux se ferait fort de désigner à coup sûr les Phares de Baudelaire, s'il devait en remplacer les peintres par des poètes? Et comment tenter même de l'entreprendre sans rencontrer la métamorphose, sans savoir que nous lisons Villon comme nous regardons Fouquet?

La métamorphose de la poésie, pendant qu'elle passe des trois gros volumes de Crépet à nos minces anthologies populaires, pose la même ambiguïté que le Musée Imaginaire : les deux tiers de ces anthologies si différentes sont communs à toutes. Gide croit son choix guidé par la mélodie des vers, mais il choisit en majorité des poèmes retenus par ses prédécesseurs dont le critère est différent; ou par Éluard, qui ne se référera qu'à lui-même. Cette part commune n'est pas gouvernée par une esthétique, mais au contraire par un empirisme; comme si chaque poème avait surmonté l'épreuve de sa présence, comme si son juge était l'anthologie elle-même.

Il est étrange (et cela tient sans doute au poids académique et bourgeois qui pèse sur le Second Empire) que l'on ait accepté si longtemps l'unité du xixe siècle, dont le couteau de Jeannot devient aujourd'hui l'emblème. Jeannot fait changer la lame de son couteau, qui est faussée; un peu plus tard, le manche, qui s'est brisé. Il ne reste donc rien du couteau primitif. Le xixe siècle, ce sont les grands romantiques; puis leurs épigones, puis leurs pasticheurs. Ce qui maintient la fiction du couteau. Après 1860, les poncifs restent les poncifs romantiques, et il ne naît d'autre école, qu'un Parnasse sans postérité. Le divorce, ou plutôt la rupture, vient évidemment de Baudelaire. Si l'on s'en est avisé tard, même lui, c'est que cette rupture fut moins affirmative, qu'interrogative. Ses prédécesseurs croyaient préméditer ce qu'ils entreprenaient, ce qu'ils voulaient écrire. Et Dieu sait si Baudelaire, après Edgar Poe, s'en glorifie! Or, il éprouve la poésie comme une aventure, nullement comme l'opération qu'il décrit. Même si nous écartons le jeu fasciné qu'il joue avec la mort, où il pressent parfois l'enjeu décisif du poème, nous ne pouvons écarter sa résolution de soumettre la poussée de l'éloquence ou les suggestions de la forme, à l'attirance de l'inconnu :

C'est un ange qui tient de ses doigts magnétiques...

Il choie ce que refusent avec indignation ses contemporains, Gautier, Banville, les Parnassiens. Il interroge à mi-voix son langage intérieur, et la strophe qu'il va écrire rejoindra la poésie baudelairienne, comme le poème rejoint l'anthologie...

A la fin du siècle, toute la poésie devient anthologique, fragmentaire, libérée du discours même hugolien. Théophile Gautier peut rester un précurseur de Baudelaire, Baudelaire n'est certainement plus un épigone de Gautier. Il a partagé avec son aîné — lui a dû, peut-être — le goût d'un matériel macabre et goyesque qui s'efface avec le siècle, devant un insensible bouleversement où les oppositions d'école ne sont pas plus en cause, qu'entre le Portail de

Chartres et les tombeaux des Médicis. Michel-Ange, Baudelaire, déplacent la mort — en sens inverse. Lorsque Baudelaire chuchote que les artistes

N'ont qu'un espoir, étrange et sombre capitole,
C'est que la Mort, planant comme un soleil nouveau,
Fera s'épanouir les fleurs de leur cerveau!

croit-on qu'il console Millevoye? Mourir ne suffit pas pour devenir génial, mais aux yeux de Baudelaire, la métamorphose par la mort jette les autres aux défroques, parce qu'elle est métamorphose et non postérité.

La profondeur intermittente dont son art offre tant d'exemples impose la fécondité de la mort. Parfois il ne croit qu'à elle. Il reconnaît impatiemment quelques gros génies, que gonfle même la vie... Il les admire avec indifférence. On le croit leur disciple, par le malentendu qui mêle alors la secte, la bohème et l'Histoire — le pittoresque et Missolonghi, en attendant l'Arc de Triomphe. Car Baudelaire changé en Victor Hugo eût été aussi déconcerté qu'en Virgile ou Homère. Qu'eût-il fait au Sénat? Le poète vit parmi des complices en poésie, et devient —

quand il plaît à Dieu — ce qu'il est. Peu importe qu'il se veuille, en outre, un original; à la secte qu'il incarne, il apporte son prophète, son héros, son martyr et son mythe.

Une mutation d'imaginaire se produit aussi en peinture. Au conflit du théâtre avec le roman succède un conflit plus subtil qu'entre le théâtral et la réalité. Le romantisme, notamment sur la scène, déploie avec complaisance ses capes et ses épées. On trouve des oripeaux dans *Les Fleurs du mal,* dans la première *Tentation?* On en trouvait ailleurs. Mais où trouvait-on cette densité qui ne se réclame que d'elle-même, qui appellera Mallarmé comme Rimbaud, peu faits pour s'entendre, sinon par le génie? Le siècle reconnaîtra en Baudelaire leur prédécesseur lorsqu'il cessera de le tenir pour le successeur des gilets rouges et de Murger; lorsqu'il comprendra qu'à des rivalités de décors se substitue une nouvelle nature de la poésie, la conscience encore incertaine de la densité que Manet trouve chez Goya, il ne la trouverait pas plus chez Rubens que Baudelaire chez Hugo. Attribuerons-nous au seul hasard, que depuis plus d'un siècle, l'Occident admire à la fois *Les Fleurs du mal* et *Madame Bovary,* publiés la même année, et que seule cette densité rapproche? Baudelaire disait que l'on reconnaissait toute vraie poésie, harnachée ou non de catafalques, à la métamorphose que lui dispensait la mort; mais après 1860, le siècle même devenait l'objet de cette métamorphose-là.

Ne nous hâtons pas de confondre Mai 1968 avec Mai 1868. Refusons néanmoins de confondre 1868 (entre la mort de Baudelaire et l'arrivée de Rimbaud...) avec les vingt ans qui le précèdent. D'une part, comme dans le roman, la littérature poursuit sa petite vie. « La jeunesse n'admire qu'un fou sadique, un sodomite, un assassin », déplorera Goncourt. Leconte de Lisle, Heredia, ne sont ni fous ni assassins, ils sont bibliothécaires. Lorsqu'on avait dit des romantiques qu'ils faisaient de la poésie une religion, on avait voulu dire qu'ils l'admiraient par-dessus tout, en faisaient une valeur suprême; pour les jeunes poètes qui se reconnaissent dans ce « fou sadique », Baudelaire, la poésie n'est pas une religion, mais elle est une foi. Et devient ce que nous appelons poésie, *lorsqu*'elle devient foi, *parce qu*'elle devient foi inconnue, opposant ainsi le mystère au discours.

L'Évangile dit admirablement que le Christ est un Compagnon. Je doute que Victor Hugo ait beaucoup parlé à Jésus; il le confondait avec le ciel constellé, quand « une immense bonté tombait du firmament ». Baudelaire, Verlaine, Rimbaud, quel ascétisme entre dans la poésie avec ces trois extravagants? Leurs prédécesseurs en confidences, leurs successeurs en prédication font figure de rhétoriciens. Que, pour parler de mystique, Claudel fasse appel à Rimbaud; que nous nous efforcions de comprendre la foi du poète des *Litanies de Satan;* que Verlaine se remette à Jésus, mérite au moins l'attention. Surtout si nous retenons que ces génies peu esthètes n'ont mis aucune valeur suprême au-dessus de la poésie — non des vers, mais de cette création où l'insaisissable que poursuit l'homme se saisit à tâtons. Création où ils rejoignent Mallarmé qui cette fois les dévoile, parce qu'avec lui, la poésie du secret n'est pas celle d'un secret divin.

La relation entre le poète et le poème est devenue plus proche de celle du peintre avec le tableau, que du grand romantique avec l'écriture. Hugo se conçoit comme une voix. Il transcrit. Tandis que le Mallarmé des derniers sonnets, comme un peintre, entreprend une opération — rendue inintelligible par le vocabulaire hérité du Parnasse. « — Après Hugo, déclare Leconte de Lisle, il ne restait que les grandes légendes de l'Inde dans lesquelles j'ai tenté de m'incarner... » Mallarmé ne s'incarne ni en racontant la bataille d'Actium, ni en la peignant sur émail : il la délivre de son sujet :

> *Victorieusement fui le suicide beau!*
> *Tison de gloire, sang par écume, or, tempête!*

Le sonnet que consacre à Antoine et Cléopâtre, Heredia, pour qui la poésie est un art descriptif, se rapporte aux autres sonnets des *Trophées*, illustre avec eux la légende des siècles :

> *Et sur elle courbé, l'ardent imperator*
> *Vit dans ses larges yeux étoilés de points d'or,*
> *Toute une mer immense où fuyaient des galères.*

Celui de Mallarmé n'est pas une description mais une allusion; une énigme, puisque le poète en supprime le titre et les noms des personnages. Comme les cristaux ne tirent pas leur forme d'un modèle, mais l'atteignent par leur point de saturation, Mallarmé tire son poème de sa densité. Il ne se rapporte pas à d'autres tableaux d'histoire, mais à d'autres cristaux, les *Tombeaux* par exemple. Pensons au *Toast funèbre*. Alors que Victor Hugo élève sa lamentation de prophète, aujourd'hui dans toutes les mémoires :

Les chevaux de la mort commencent à hennir...

Mallarmé ne parle qu'à la limite de la voix :

...Et l'avare silence et la massive nuit.

Au-delà, commence *Un coup de dés jamais n'abolira le hasard...* La création poétique est devenue son propre imaginaire.

Ceux que les Français nomment décadents ou symbolistes, les Anglais les qualifient d'esthètes. Nos poètes bafouillent pour définir des écoles parce qu'en fait, elles ne se définissent plus par des doctrines, mais par la communauté des maîtres : sera symboliste quiconque se réclamera des Poètes maudits sacrés par Verlaine et par Huysmans. La poésie sait qu'elle n'a plus d'écoles. Pressent-elle qu'elle annonce la poésie d'un autre monde? Du moins est-elle consciente de sa part d'énigme — de ce qu'elle devient la poésie moderne au sens où l'on parle de peinture moderne.

Baudelaire est mort atrocement, Verlaine n'est plus un vivant, il ne reste de Rimbaud que des mythes contradictoires. Mais les clochards tiennent des conférences à Budapest, comme l'impressionnisme joue, en Amérique, une partie qui sera bientôt une conquête. L'audience de cette poésie confidentielle est internationale. On parle tantôt d'un nouveau public, tantôt d'anti-public : ces missionnaires hétéroclites vont essaimer jusqu'au Japon. En dénouant de plus en plus, jusqu'à la rupture, le lien que l'on croyait établi depuis des siècles entre luxe et rêve.

A la fin du xixe, ce qui ne se réclame pas de la réalité se réclame d'une féerie dont la confusion orientée mêle les préraphaélites et Pisanello, Venise et Trébizonde. Ses accessoires nous semblent ceux du rêve séculaire, alors que ni le romantisme, même vénitien, ni le classicisme, ne l'avaient connu; c'était l'Hérodiade de Mallarmé mise en scène par Gustave

Moreau. Pourtant, lorsque Gustave Moreau peint Hérodiade et Salomé, Mallarmé demande son portrait à Manet, à Renoir, à Gauguin. L'impressionnisme, qui apporta un puissant imaginaire mais non un rêve, joua peut-être le premier rôle dans cet avortement privilégié. On a toujours mêlé l'imaginaire avec sa garde-robe, depuis la fée jusqu'au sélénite, en passant par le troubadour. Il a ses costumes comme ses Iles Fortunées. Qu'il ne les revêtît pas appelait une grande conséquence : en littérature comme en peinture, l'artiste du xxᵉ siècle ne serait pas un esthète.

L'esthète était un personnage défini; celui que nous appelons artiste était à définir — et l'est encore.

L'esthétisme appelait Botticelli, rêvait d'un passé, succédait en cela au romantisme et au classicisme; Apollinaire, Picasso rêvaient de saltimbanques. Sans doute la première rupture entre l'esthétisme et l'art moderne tint-elle au refus du luxe. Beaucoup des arts que notre temps mettrait au plus haut rang ne sont ni délicats ni raffinés : Sumer, steppes, sculptures romane, hindoue, chinoise, archaïque grecque, toutes les hautes époques. Nos préraphaélites seront Masaccio, Uccello, Piero della Francesca, non la Toscane frisée. La guerre de 1914 remplace les licornes par les pipes. Ce ne sont pas les haillons qui remplacent les turquoises de Bapst : ce sont les papiers collés de *Parade*.

Au Châtelet, sur l'arrière-plan russe plus grandiose que l'incendie de Rome, des lueurs shakespeariennes (il manque Raspoutine) éclairent les convulsions de l'Empire d'Occident; des mannequins, en forme de gratte-ciel moustachus et d'acrobates, mettent fin sans le savoir au cortège de rêve trimbalé de cours en cours. L'indigente Athènes avait élevé le Parthénon, grâce à des fonds détournés. Mais après que Laurent le Magnifique eut fait étreindre la beauté par l'illusion du bonheur, sa chimère avait couru l'Europe jusqu'au halètement, et la musique foraine de Satie grignotait les pactes que Charles Quint, Louis XIV et Marie-Thérèse avaient passés avec le songe de l'Europe. L'épais ruissellement des velours s'arrête devant le bec surpris d'une cocotte en papier! A la tête des baladins, des gratte-ciel et des diseuses de bonne aventure, elle va conduire la marche funèbre de l'esthétisme européen. Mort au même âge que Victor Hugo, donc en 1903, Baudelaire eût pu connaître Apollinaire. De tout ce qui les sépare, rien ne l'eût autant déconcerté que l'opposition des références — dirais-je du matériel? — de leurs poèmes intimes — ce qui sépare *Zone,* du *Voyage.* Peut-être sa perspicacité y eût-elle reconnu, plus qu'une nouvelle poésie, la poésie d'une nouvelle civilisation.

XIII

LA SECTE

C'est à partir de la rupture entre l'artiste et
l'esthète que se posent *nos* problèmes, parce
que l'esthète, quelque éclectisme aidant, proclame ses valeurs et organise sans peine le
passé qu'il élit. Walter Pater, Burne-Jones s'interrogent moins, nous interrogent moins, que
Picasso, même que Cézanne; et il est plus facile
d'imaginer le musée, la bibliothèque d'Oscar
Wilde, que d'élucider notre relation avec le
Musée Imaginaire et la Bibliothèque de la
Pléiade. Car l'Occident, depuis des siècles,
reçoit l'art comme une succession de styles, et
s'efforce de définir le dernier; alors que notre
mutation ressemble moins à la substitution d'un
style à un autre, qu'à celle de la bibliothèque
imprimée, aux manuscrits des couvents médiévaux. Bien qu'elle ignore la brutalité de la som-

mation par laquelle le Musée Imaginaire nous fait héritiers de la planète, la littérature pose une interrogation parente. Au xvie siècle, l'amateur des Anciens n'incarne pas un moment de l'évolution d'un bénédictin du xiie, rompt avec une continuité, et le sait. Croirions-nous donc tout continuer?

Chacune des grandes nations occidentales semble tacitement voir dans sa bibliothèque présente, Pléiade ou Classiques de poche, un héritage, accru de ses œuvres contemporaines. Mais qui, affirmerait que notre Pléiade est la bibliothèque de Sainte-Beuve, augmentée de Lautréamont? La Pléiade espagnole, la bibliothèque espagnole du xixe, augmentée de Lorca? Ne pas tenir compte de la métamorphose (pourtant flagrante à long terme avec la Renaissance ou le romantisme, à court terme avec notre balayage du début du siècle) fait nécessairement de la bibliothèque une accumulation, dont notre expérience nie chaque jour la permanence et l'invulnérabilité. Ne confondons pas cette mouvante lignée avec une suite d'adjonctions, comme si les hautes époques n'avaient pas fait déserter les salles hellénistiques et romaines des musées; comme si l'on publiait les Classiques de poche par appendices, en ajoutant Rimbaud à François Coppée.

Adjonctions à quoi? Distraitement, nous répondons : à la bibliothèque de nos prédécesseurs directs. Car si nous savons que la bibliothèque ne se confond pas avec le succès, nous sommes stupéfaits de découvrir à quel point le cortège des triomphes littéraires, depuis quatre cents ans, est formé d'auteurs dont nous avons oublié jusqu'aux noms. Au xviie siècle, on publiait un roman de langue française *par semaine* : trois cent cinquante-deux pendant le règne de Louis XIV — qui n'étaient point une profusion de *Princesse de Clèves*. Gourmont note que le plus grand succès théâtral du siècle est *Timocrate*, tiré de La Calprenède par Thomas Corneille. Loin derrière, dans la foule, *Le Cid*, puis l'*Alexandre* et l'*Andromaque* de Racine, *Psyché* (la vraie). Parmi les échecs marqués : *Phèdre*, *Britannicus*, *Bajazet*. Entre Corneille et Campistron, le cortège de *nos* gloires — puisque nous avons oublié celles de leur temps — est celui des recalés. Il n'allait nullement de soi, que se constituât ce que nous appelons la littérature française...

Nous avons vu la fin de l'illusion qui maintint

jusqu'en 1914, le règne de l'Université. La littérature, l'art ne sont pas objets d'enseignement : on n'enseigne que leur histoire. Et les Sorbonnes n'ont pas plus enseigné la création chez les grands écrivains, qu'un siècle de cours de dessin industriel n'enseignerait celle de Rembrandt. Désormais, nul ne l'ignore. Et voici l'échéance : les écoles françaises doivent changer cette année leurs manuels de littérature. Non par un complément, une adaptation, mais une révolution. Sur quoi fonder les nouveaux?

Si l'*événement* qu'est l'abandon des anciens manuels passe inaperçu, c'est que la nouvelle bibliothèque, Pléiade ou Livre de poche, n'est point née d'une nouvelle doctrine, mais d'un consensus. Non moins empirique, que celui du Musée Imaginaire; et comme lui relatif, en ce que les lecteurs, jamais d'accord sur la totalité des titres, le sont sur les trois quarts d'entre eux : il existe une bibliothèque de 1975 autant qu'il en exista une de 1875. Ce consensus est évidemment celui des *lecteurs*. D'une catégorie de lecteurs; Louise Labé, Maurice Scève, Agrippa d'Aubigné, ne doivent pas leur résurrection aux amateurs de romans policiers. Catégorie dont les traits sont ceux d'une secte, non d'une classe. Secte internationale, dont les livres forment la bibliothèque déconcertante, sans fonction définie pour les laïques, aux yeux de qui les autres livres se définissent précisément par leur fonction. Les lecteurs des chefs-d'œuvre les lisent comme les amateurs de peinture vont au musée; leur bibliothèque nécessaire c'est la bibliothèque inutile des autres... Elle substitue aux connaissances, un sentiment où le rôle principal est joué par l'admiration : le possesseur de la Bibliothèque de la Pléiade l'appellerait volontiers sa bibliothèque de l'admiration, au sens où il appellerait ses Séries Noire, Blême ou Rose, sa bibliothèque de la distraction; le reste, celle de son instruction. Le flou des frontières qui, au sujet des livres, nous a si souvent égarés, disparaît : nul ne confond les rayons de sa Pléiade avec ceux de sa Série Noire, lorsqu'il les possède toutes deux. Mais nul n'en est quitte avec l'admiration, car c'est par illusion que nous croyons admirer, dans la littérature, la transcription d'une réalité admirable : par la même illusion qu'en peinture. Le sentiment de l'art demeure mal défini, l'artiste, plus encore.

Que la chrétienté remplace Titien par Shakespeare n'explique point que l'esprit humain porte en lui le besoin d'imaginaire. L'Europe a postulé, de façon fermement vague, qu'une identité entre Shakespeare ou Titien et le spectateur rendrait celui-ci client virtuel du génie. Des Noirs de la brousse africaine viennent voir jouer Molière, c'est vrai. Les paysans photographiés par Dasté lorsque son cirque jouait le même Molière au fond de l'Auvergne, suivaient la pièce avec passion, c'est vrai. Toutefois, le public touché en France par la littérature, le théâtre, la peinture, le vrai cinéma, ne dépasse vraisemblablement pas deux millions. Les autres Français n'ont-ils pas avec l'écrit et l'image une relation différente? N'existerait-il pas des sectes d'imaginaire comme des sectes de sport, le Livre de poche *et* la Série Noire comme le cyclisme et le football?

Il semble que pour les écrivains, la bibliothèque se confonde depuis des siècles avec le monde de l'écrit. Or, on écrit de plus en plus — hors d'elle. Elle est entourée souvent d'une production qui se réfère à elle, aspire à y pénétrer; et toujours, d'une immense production qui l'ignore, et n'est pas pour autant d'ordre technique : histoire, voyages, vulgarisation, tout le domaine du documentaire. En 1974, la France a mis en vente 336 millions de volumes de toutes sortes. Le catalogue de la Pléiade, des Classiques de poche, n'atteint pas trois cents titres. Parc de l'imaginaire? Sans doute; pas seulement. Ce n'est pas seulement le besoin qu'assouvit Eugène Sue ou le roman policier, qui mène Balzac à répondre à ses amis qui lui parlent des événements du jour : « Laissons l'Angleterre et passons aux choses sérieuses : savez-vous que Rubempré va épouser Clotilde de Grandlieu? » Il existe quelques millions d'amoureux qui, sans devenir des fous, ont avec la vie une relation spécifique; n'existe-t-il pas quelques millions d'hommes qui, sans devenir des fous, subissent ce que les autres appellent imaginaire, avec la force que ces autres accordent au réel? La distraction des hommes de secte — artistes, savants — est un lieu commun; qui tombe dans les puits, sinon les astrologues et les poètes?

La compétition n'épuise pas la passion du sport, puisque le sport le plus suivi rencontre plus d'indifférents que d'adeptes; n'assimilons d'ailleurs pas le sport, qui assouvit ses spectateurs aussi pleinement que boire assouvit la soif, aux livres — car le sport obéit au temps du réel, et non à celui de l'imaginaire. Donc, à la mort. Il existe une passion laïque du football comme du roman policier, non comme la passion de la secte lettrée, parce qu'elles n'ont pas la même relation avec le temps. Pour le plus passionné des sportifs, le plus grand match du passé n'appartient qu'à l'histoire; pour n'importe quel fidèle de la secte, *Antigone* appartient à l'histoire, mais pas seulement à elle.

Hier, en face de la bibliothèque formée pour accompagner une vie, s'élevait l'amoncellement des feuilletons que l'on jette. Ils succédaient aux livrets de colportage? Ils annonçaient aussi les romans policiers. Leur façon physiologique d'aspirer le lecteur reste étrangère à la bibliothèque. On l'y mêlera pourtant, sous la réserve que Stendhal a plus de talent que les feuilletonnistes. Car Stendhal aussi, sacrifie à l'intérêt — pas au même. Mais bientôt on comprendra que la bibliothèque et les romans dits populaires (d'aventures, policiers, historiques, sentimentaux) ne sont pas séparés par une différence de talent, de degré, mais de *fonction*. Le trésor de la Série Noire et les Classiques de poche n'ont en commun que l'imprimerie. L'intérêt n'est pas seulement une qualité narrative :

c'est aussi une rubrique, comme la mode, l'alpinisme ou la santé.

Ou la vraie littérature.

Toutes les sectes présentent en commun de n'être pas formées d'hommes libres de les quitter à l'occasion — mais d'intoxiqués. Les grands peintres occasionnels sont rares; les amateurs, guère moins. Ils ne gouvernent pas leur passion. Nul ne se montre de temps en temps amateur de littérature : on vit, ou non, d'une vie littéraire. Même si, comme tant d'écrivains pauvres, l'on abandonne au Minotaure la moitié de sa vie. La secte vit dans son art élu. Le promeneur qui achète un jour au passage *Macbeth*, *La Chartreuse de Parme* ou *Les Possédés* n'existe guère : c'est parce qu'on a lu *La Chartreuse*, qu'on lit *Les Possédés*.

Le feuilleton intoxique autant que le génie; mais pas de la même façon. Pour son lecteur, un tome de *Rocambole* en appelle un autre, et pour le lecteur de Dostoïevski, les *Karamazov* appelle *Macbeth*. Macbeth ou la Sanseverina, ou Rubempré, et non un vivant proche d'Aliocha Karamazov, non la prochaine enquête de Sherlock Holmes. Comme le *Tristan* de Wagner n'appelle pas celui de Bédier, ni même les textes originaux, mais *La Flûte enchantée*, à défaut de la *Tétralogie*. Baigné par l'imaginaire, le monde-parallèle de la secte reste une île. L'extraordinaire est qu'elle assure une provisoire survie, alors que l'immensité laïque est promise à la mort.

Vain problème jusqu'à la civilisation dans laquelle nous sommes entrés, car le XIXe siècle crut à la pérennité de sa bibliothèque. L'étude des grandes littératures par ses Universités entendait établir le palmarès de l'Occident. Les humanités avaient postulé un enseignement; notre littérature n'exige plus qu'une vaste complicité. Pendant le cours consacré à Corneille, les fidèles adolescents échangent des sonnets inspirés de Baudelaire, des chansons inspirées de Prévert. Tout commence par l'amitié, par le bouquin prêté. Le lecteur va d'œuvre en œuvre, comme le créateur, non comme l'historien. Le courant qui fait découvrir la poésie " en remontant " entraîne toute la bibliothèque, parce que notre civilisation éprouve, même si elle le nie, que la littérature, c'est d'abord la sienne. On devait *étudier* Virgile (et, d'abord, le latin); un adolescent passionné de Stendhal n'étudie pas *Le Rouge et le Noir*, ne trouve dans son professeur qu'un interlocuteur, approuve ou conteste l'étude de Valéry. Combien de jeunes gens admirent Eschyle parce qu'ils ont fait du grec, et combien, parce qu'ils ont lu Claudel? L'action de la peinture moderne est manifeste, et très peu de nos artistes pourraient regarder Titien ou Vélasquez avec les yeux d'un peintre antérieur à Manet — parce que l'art moderne est une révolution manifeste. Mais la poésie moderne et le roman pèsent aussi lourd que le Jeu de Paume et le Musée d'Art moderne, ne sont pas moins liés à notre temps, jouent presque le même rôle. Or, en littérature comme en peinture, les grandes créations ne nous ont pas atteints à travers des doctrines. Nous savons que notre cubisme est né des tableaux de Picasso, de Braque, tout autrement que ces tableaux ne sont nés des théories dont ils se réclamaient; que, depuis le symbolisme, la poésie ignore les siennes; et le roman, au moins depuis le début du siècle. Que l'action des grands créateurs s'exerce à une profondeur bien étrangère à la délectation; que Baudelaire agit presque infailliblement sur les symbolistes, Apollinaire sur nos contemporains... L'Angleterre écartait Dostoïevski, au temps même où il submergeait l'Allemagne. Combien d'œuvres avons-nous choisies, mais par combien d'œuvres avons-nous été choisis?

Bien que l'art ne soit pas une religion, la secte obéit, comme les créateurs, à la définition même de la foi : « adhésion totale du cœur et de l'esprit ». Son public serait-il formé de vocations au même titre que celui des créateurs, bien que beaucoup plus nombreuses? Notre conception naïve de l'artiste tient à ce que nous semblons encore le définir par le raffinement. Et, de façon plus profonde, au préjugé de la liberté de l'artiste devant l'art. Est-il donc libre de rejeter aujourd'hui Shakespeare ou Rembrandt? Découvrir que nous n'admirons pas dans un roman, l'interprétation d'une histoire, ou dans un poème, la réussite d'un discours — que nous ne comparons plus une œuvre littéraire à un modèle supposé — conduit à découvrir que nous venons à Mallarmé par Baudelaire ou par Valéry, non par Corneille. Les facteurs qui nous soumettent aux œuvres sont nombreux et complexes, depuis les phantasmes jusqu'aux parentés littéraires; prendre conscience de leur nature chasse le lecteur du rôle de maître du trésor des siècles. Il passe de Baudelaire à

Rimbaud comme du haschisch au L.S.D., plus facilement que comme de Descartes à Hegel. Ah! si l'on découvrait que la passion de l'art est inséparable d'un gène supplémentaire! Gène par lequel l'amateur — de nouveau semblable en cela au créateur — rapporte l'œuvre d'art au monde de l'art, un tableau de modistes de Degas à l'impressionnisme et non aux chapeaux, le sonnet de Mallarmé à la poésie et non à Cléopâtre. Bien plus qu'aux sociétés de collectionneurs, les sectes de l'art font penser aux homosexualités libres, où les homosexuels n'étaient ni élus ni maudits (alors que le mot sodomie s'inscrira sur un fond de bûchers). Leurs adeptes ne devenaient pas homosexuels parce qu'ils préféraient les garçons aux filles, ils les préféraient parce qu'ils étaient homosexuels. Les artistes n'*attribuent* pas à leur art, des valeurs supérieures à celles de la vie, ils les *éprouvent* telles, comme ce qui concerne le Christ possède pour un chrétien une valeur irréductible, du seul fait de le concerner. L'art partage d'ailleurs avec les religions, la présence des morts. La littérature unit présent et passé littéraires, comme les grandes religions unissent le présent au passé sacré. Aux yeux des laïques, un livre est contemporain ou témoin d'un passé. Mais la secte lit-elle Eschyle, Shakespeare, Pascal, comme des témoins de leur temps?

L'art d'une civilisation de foi s'adresse à tous les fidèles. L'art d'un État totalitaire peut être imposé à tous ses sujets. Mais la sculpture du XIIe siècle ne se conçoit pas comme art, et n'a pas de passé; le réalisme socialiste se veut art, et compose son passé, ou retient l'art du passé comme témoignage de l'histoire : on rouvre l'Ermitage, et on ferme Dostoïevski. A bas Confucius, la musique décadente occidentale (Beethoven en Chine), etc... Cet Ermitage, Picasso ne l'eût pas regardé avec les yeux de Staline. Mais peut-être, malgré lui, avec ceux des peintres russes interdits, car un caractère fondamental de la secte est d'imposer sa relation avec les œuvres du passé. Pour Staline, les Rembrandts de l'Ermitage appartiennent au temps de Rembrandt; pour Picasso, ils appartiennent aussi au temps de Picasso. Pour un lecteur de romans policiers, *Don Quichotte* appartient au temps de Cervantès, pour Flaubert, il appartient aussi au temps de Flaubert. Et pour maints Flauberts inconnus. Peut-on exterminer la secte, ou bien l'Est trouvera-t-il ses bonzes suicidaires?

L'artiste, l'homme de la secte, éprouve devant l'œuvre d'art un état psychique particulier, que les différentes époques ont relié à la beauté, ou à des états physiques, de l'euphorie à l'ivresse; alors qu'il est aussi distinct de ceux-ci que l'état mystique, ou celui que l'Islam et l'Inde appellent la réalisation métaphysique. Plus cet état a été rationalisé, plus il a jadis semblé s'imposer à chacun. Tous les hommes étant sensibles à la beauté des vivantes, et celle-ci, de même nature que la beauté artistique, tous les hommes étaient virtuellement sensibles aux arts. Ce qui ne résista guère à la résurrection du gothique, et pas du tout au Musée Imaginaire. L'action de la bibliothèque moderne fut moins directe que celle du musée, mais celui-ci l'entraîna en ce qu'elle reconnut pour sien, tout lecteur atteint par une œuvre du passé comme par une œuvre contemporaine; par une œuvre littéraire comme par une autre œuvre et non comme par son modèle supposé, par Anna Karénine comme par Desdémone et non par l'illusion d'une vivante. Le vrai domaine de la secte déborde l'esthétique; les états qu'elle éprouve sont plus instructifs que le palmarès changeant des œuvres auxquelles elle les attribue. Tous les hommes ne tombent pas amoureux des Prix de beauté, on ne conteste pas l'amour pour autant. Un mégalomane est plus assuré de son génie que ne le fut Baudelaire; tels manuscrits dérisoires ont inspiré les mêmes sacrifices que des chefs-d'œuvre.

Certains domaines nous fascinent parce qu'ils nous échappent : entre tous, l'amour, la mort. Si aucun élément dogmatique de la littérature ne survivait, notre rapport avec celle-ci deviendrait aussi complexe qu'avec l'amour. Non l'amour d'un être, mais le besoin d'aimer, souvent étudié sous sa forme religieuse, et dont nous connaissons tous un aspect sarcastique et navrant, le besoin de se remarier des veufs dont le mariage fut heureux. Le besoin d'un art ne se confond pas plus avec le jugement qui le légitime, que l'amour avec la sexualité.

L'action de la discothèque est parallèle à celle du Musée Imaginaire : la même civilisation a offert leur imprimerie, à la musique et aux arts plastiques. Mais la musique n'étant pas un art figuratif, on ne lui chercha pas de modèle. Fonder la passion de l'amateur de musique sur le seul plaisir qu'il y trouve, permettrait de passer de là au plaisir de l'amateur de peinture ou de littérature, puis au plaisir que Balzac prend à raconter, ou Vermeer à peindre. Mais la démiurgie que Monteverdi, Beethoven, Wagner, apportent à composer (et même Mozart ou Debussy) s'accommode mal du mot plaisir. La musique est le seul grand art où créer veuille couramment dire créer, sans équivoque. Elle présente son mystère comme la littérature et la peinture proposent leur fausse clarté. En musique comme au théâtre, interprète veut dire exécutant. Et davantage en musique, car le tragédien interprète à la fois Corneille et Cinna, alors que le chef d'orchestre n'interprète pas à la fois Beethoven et la nature quand il dirige *La Pastorale.* Pour le plus vaste public, la création musicale vient " d'ailleurs ". De la musique antérieure? Pas seulement. Il la tiendrait pour inexplicable s'il n'en était gardé, miracle! par l'habitude qu'il en a... Nous oublions à quel point ne parler du tableau, du roman, qu'en fonction de modèles, limita pendant des siècles toute pensée relative à l'art. Au-delà des réalismes, comment une œuvre d'art ne ferait-elle pas appel, non au spectateur, mais au médium? La beauté platonicienne le fit comme le fait encore la musique classique, comme le fait la poésie moderne...

L'intoxication qu'apportent les romans policiers ne nous intrigue pas. Nous reconnaissons en eux, comme dans le fantastique dont ils sont la dernière expression, un monde-parallèle. Leur convention est à peine plus faible que celle des westerns, qui l'est à peine plus que celle des contes de fées. Cette convention porte sur les événements. Le lecteur s'abandonnerait au plaisir de " se raconter des histoires ". Héros par procuration, dit-on un peu vite, car l'intoxication, avant toute assimilation aux héros, a pour objet le monde-parallèle lui-même. Le romanesque procède par vastes domaines, chevaliers, Artabans, mousquetaires, Peaux-Rouges, shérifs, gangsters... Que possèdent en commun ces féeries successives? La relation des hommes avec le monde, n'y est pas la même que dans le vrai.

Le lettré aussi est intoxiqué par un monde-parallèle. Mais pas de l'événement. La bibliothèque nous inspire une considération que nous n'accordons guère à l'ensemble de la fiction romanesque; son indépendance ne s'exerce pas par des répertoires. On a cru trop longtemps que le lecteur passait de la Rome cornélienne à l'Espagne de Victor Hugo, comme des mousquetaires aux gangsters. Elle s'exerce par ce que nous appelons encore forme, terme équivoque entre tous; mais en art, forme a souvent signifié parure, et il nous faut d'autant plus d'attention pour ne pas confondre le monde des formes avec un monde paré, que notre musée, notre bibliothèque font en eux-mêmes figure de trésors. Une statue romane, sumérienne, précolombienne — et tout l'art que nous appelons barbare — ne tendent pas à séduire. Mais au Louvre, au musée de Damas ou sur sa photo du Musée Imaginaire, la statue sumérienne, précieusement montée, se trouve annexée par un monde de l'art qui se propose à nous comme la parure suprême du monde. Le roman a subi, plus absurdement, la même aventure. Or, ce que *nous* appelons forme, ce n'est nullement une parure, mais l'énigme fondamentale que l'art nous pose; ce qui sépare la création de la Création. *Le Cid* n'a pas survécu à *Timocrate,* Flaubert à Feydeau, la bibliothèque aux romanesques, suivant des lois hier ignorées. Nés dans la pluralité des grands styles, comment ne ressentirions-nous pas devant le dialogue le plus traditionnel, celui d'Eschyle avec Racine, de Chartres avec le Parthénon, comme devant le plus mystérieux, celui des grands arts historiques avec les arts sauvages, ou même devant l'existence de la poésie, comment n'éprouverions-nous pas que les formes d'une civilisation, son style, sont l'incarnation de son imaginaire? Le monde-parallèle de la bibliothèque, même romanesque, même fantastique, nous apparaît d'abord comme le monde d'un pouvoir — du pouvoir d'échapper au temps à travers la forme. La littérature forme un monde-parallèle par son essence : sa fiction (et la poésie est fiction) semble avoir pour raison d'être, l'intrusion de l'homme dans ce qui lui échappe, ce qui le néglige. Alors entre en jeu tantôt la création des formes, tantôt cette permanente intrusion; je doute fort qu'un roman soit " la vie plus son auteur ", mais non que l'écrivain soit soucieux de mettre son grain de sel dans le cosmos qui l'ignore. La littérature apporte, au plus haut degré, la substitution du destin dominé au destin subi. La bibliothèque, la discothèque, vastes

fragments rivaux du Musée Imaginaire héritier du monde, sont inséparables de notre civilisation, au même degré que sa formule de
l'énergie — ou que son inconscient...

Ce que nous appelons littérature s'adressa
toujours à un petit nombre d'hommes. Qui
savaient lire; puis, qui avaient " fait leurs
études "; le lecteur du xixe siècle était bache-
lier. Jamais ces études ne furent plus qu'un
moyen, et la religion n'interdit pas la théologie.
Pour désigner le fidèle des sectes de l'art, on
a longtemps employé le mot " amateur ", faux
en peinture, où il suggère collectionneur, plus
faux dans les lettres, où il suggère " l'épicurien ", le fervent d'Horace. Qui donc parlerait
d'" amateurs " de Shakespeare, de Dostoïevski?
Qu'appelons-nous donc artiste, créateur ou
non? Sans le savoir, *tout homme à qui un art
est* NÉCESSAIRE.

Cet artiste-là, que fut-il au Moyen Age, dans
l'Antiquité, en Chine, partout où la notion d'art
n'existait pas? Il n'exista pas davantage. Nous
pressentons un pouvoir commun entre Phidias,
la sculpture de Chartres et celle des grands

fétiches; rien de semblable entre les amateurs athénien, chartrain et animiste. La secte commence avec l'imaginaire de fiction. La bibliothèque aussi : pour un vrai chrétien, parler du talent du Christ est saugrenu. Au-delà du temps historique et du présent, " l'autre temps " de l'Évangile, c'est l'éternité. Le temps artistique n'est pas un caractère accidentel de la secte, il la constitue. Car l'adepte doit autant à sa relation avec le musée, avec la bibliothèque, qu'à ses maîtres directs : toute œuvre élue par son Musée Imaginaire est *présente* pour lui.

La secte voit dans *Les Noces de Cana* un tableau, et non un spectacle. Mais pas seulement un objet exécuté au temps de Véronèse. L'œuvre appartient au temps du Louvre, dirait d'abord l'amateur, qui se méfie de l'immortalité... Qu'il rentre chez lui et lise Stendhal, il pensera au temps de sa bibliothèque. Nous ne parlons pas constamment de la Résurrection géante dans laquelle nous vivons, parce qu'elle va de soi; mais si notre habitué du Louvre s'avisait d'y réfléchir?

La présence de Julien Sorel, qui vécut sous la Restauration, le trouble plus que celle de Phèdre, qui vécut dans un temps légendaire.

L'immortalité et la beauté allaient de pair; la postérité... *Le Rouge et le Noir* n'a pas survécu comme l'Aphrodite de Cnide, mais pas davantage comme un meuble. L'existence du roman, si différente de ce qu'elle fut pour ses contemporains, vient de la métamorphose; et la métamorphose lui apporte-t-elle les œuvres comme des témoignages de l'histoire?

Il y a cinquante ans, les étudiants de rhétorique devaient traiter : « Si demain, l'un de nos contemporains écrivait une *Phèdre* digne de Racine, quels sentiments cette œuvre vous inspirerait-elle? » Le nouveau chef-d'œuvre classique est toujours la *Lucrèce* de Ponsard, et le nouveau *Cid*, quelque *Cyrano;* cette *Phèdre* imaginaire serait un " pastiche synthétique ", alors que celle de Racine n'était pas un pastiche du tout. Pourtant, année après année, la question troublait les étudiants. Car une tragédie racinienne de 1920 ne pouvait qu'imiter une tragédie de 1660, mais les déterminismes ne suffisaient pas à faire de la vraie *Phèdre* " une tragédie de 1660 ". Celle de Pradon l'était-elle moins? L'Université répondait en reconnaissant à Racine, en refusant à Pradon, la " réussite classique ". Mais les étudiants savaient que

Racine les atteignait par autre chose que par une " réussite ", et que nul perfectionnement de l'œuvre de Pradon n'en eût fait la rivale de « la fille de Minos et de Pasiphaé ». Celle-ci appartenait manifestement au présent du spectateur autant qu'à celui de sa première représentation. Le temps dans lequel l'étudiant entendait l'invocation à Vénus ne coïncidait évidemment pas avec celui de Poincaré, mais coïncidait-il avec le seul temps chronologique auquel appartenait Pradon?

La transformation qu'a subie la bibliothèque paraît faible, comparée à celle qui sépare le Musée Imaginaire, des anciennes galeries d'antiques. Parce que la bibliothèque nous semble celle de 1900, " tenue à jour ". Mais le notable à qui son aïeul a légué le Voltaire de l'édition de Kiehl existe-t-il encore? Si j'imagine, soit une Pléiade, soit une collection des Folios ou d'autres collections littéraires, substituée à la bibliothèque d'André Gide que j'ai connue, la différence est moins manifeste que si je compare de récentes photos du Louvre avec des photos du siècle dernier. Mais si je compare la relation qu'entretient un étudiant avec ses Folios, et la relation qu'entretint Gide avec ses in-folios? La victoire de la secte se renouvelle curieusement. Que l'étudiant proclame la supériorité de Boris Vian sur Diderot, ou qu'il croie entendre par littérature celle de quelque Sainte-Beuve, complétée. Car elle lui parviendra filtrée par ce complément — voire, limitée à lui... Le jeune peintre voit le Louvre à travers le Musée d'Art moderne, le jeune lecteur voit la littérature à travers sa " littérature vivante " — née, par hasard? avec les deux plus célèbres procès de la littérature : celui des *Fleurs du mal* et celui de *Madame Bovary*. Et s'il nomme vivante cette littérature, c'est qu'elle seule, exerce sur lui une présence.

Quoi de commun entre notre résurrection du Greco et notre connaissance de Murillo, le règne de Baudelaire et notre connaissance du Parnasse, notre goût des *Liaisons dangereuses* et notre connaissance de *La Nouvelle Héloïse?* Le Greco, Baudelaire, Laclos, notre anthologie, sont présents pour nous. Maintes œuvres célèbres demeurent à la limite de cette présence et des connaissances; certaines, le Greco, Stendhal, nous envahissent; les tragédies de Voltaire, le Parnasse, ont perdu leurs admirateurs; *Les Misérables* voyage... Frontières incertaines?

Les arts s'éclairent par leurs pôles, non par leurs frontières. La présence des livres est sœur des présences du musée. Ronsard n'appartiendrait qu'aux spécialistes de l'histoire littéraire (comme du Bartas par exemple), s'il ne se trouvait présent dans la bibliothèque intérieure des poètes, où il est revenu après 1830, d'où il pourrait disparaître comme *Zaïre*.

La connaissance des œuvres appartient au temps chronologique, et à lui seul. Un fossile n'appartient qu'à son époque, un bison de Lascaux appartient à celle de son peintre, en tant qu'objet; mais aussi à un autre temps, lorsque nous visitons Lascaux; au temps de quiconque l'admire en tant qu'œuvre. Le fossile se situe avant et après tel autre, nous le savons; une Vénus magdalénienne se situe après une Vénus aurignacienne, les bisons d'Altamira se situent après ou avant ceux de Lascaux, mais aussi dans le présent où celui qui les admire *éprouve* leur présence commune. Les œuvres religieuses nous prodiguent ce temps multiple et déconcertant : une statue du Portail Royal de Chartres appartient simultanément au xiie siècle qui l'a conçue, à l'éternité pour le chrétien qui la prie, au présent pour l'artiste qui l'admire.

La rivière du temps chronologique se perd dans le temps de l'art, sans aval, sans amont, comme dans un lac aux rives inconnues.

Depuis la Renaissance, l'Europe a souvent cru élire ses arts du passé. Pour le XIXᵉ siècle, ils sont d'abord une acquisition que nous dispenserait l'histoire. Tout conditionnement des œuvres par celle-ci suppose intelligible l'aventure de l'humanité, où l'on situe son auteur; déterminer un roman, un tableau, un poème, est toujours le subordonner au sens que l'on apporte ou reconnaît à cette aventure. Mais une voix merveilleuse à la merci d'une bronchite, se réfère à ses rivales, non aux maladies de la gorge. La présence d'un roman dans notre bibliothèque intérieure, d'un poème dans notre anthologie, d'un tableau dans notre Musée Imaginaire ou au Louvre, se réfère à cette bibliothèque, cette anthologie, ce musée, avant de se référer aux bronchites, les nommât-on histoire.

Mais ce n'est point l'absence de passé, qui accompagna jadis l'absence d'histoire : c'est la conscience d'un passé non-historique. L'homme sans passé n'existe pas plus que l'homme sans mort. L'étude du temps cyclique des religions, celle du temps des primitifs, nous prouvent que toute conscience humaine porte un passé en elle. Que reste-t-il des sauvages sans passé, depuis que nous connaissons leur temps mythique empli d'ancêtres, de héros éponymes et d'accouplements sacrés?

Le passé que nous révèle l'ethnographie, et même celui d'Homère, nous contraint à saisir les caractères du nôtre : historique et chronologique. C'est dans ce temps-là qu'est née la bibliothèque, et même notre notion des cultures. Une illusion-logique voudrait que nous *ajoutions* notre rayon de livres à celui des siècles, notre salle au Musée Imaginaire; soumis à eux? ils ne sont pas moins soumis à nous. Notre passé n'est pas tout entier chronologique. Toute la psychologie des profondeurs l'a pressenti, mais a tendu à faire de l'immémorial, un passé protohistorique. Néanmoins, le Moyen Age s'était concilié avec une part de temps historique. Même si le Vendredi saint était " en ce temps-là ", on savait que tels événements avaient eu lieu sous le feu roi; et notre passé historique se conjugue à l'occasion avec l'autre, comme " ce temps-là ", temps éternel des Évangiles, accueillait à l'occasion le passé des chroniques. Peut-être les siècles de foi font-ils seulement apparaître, avec plus de clarté que les nôtres, ce temps éternel, et sans doute leur préexiste-t-il sous certaines formes aussi vieilles que la conscience humaine.

L'un des éléments constitutifs des grands imaginaires est évidemment le passé qu'ils se reconnaissent, et qui n'est pas toujours au même degré un passé de l'art : l'Antiquité l'est plus que le passé des siècles médiévaux; le génie, qui pour les romantiques se constitue en passé, l'est plus que celui du scientisme, l'histoire. On demande quand, à l'intérieur du machinisme, notre civilisation s'éloigne du XIXe siècle? quand dans certains domaines, notamment celui de l'art, elle prend conscience de son passé à travers la métamorphose plus qu'à travers l'histoire — ne soumet plus son passé à l'histoire, que si l'histoire devient métamorphose. Quand elle élit la métamorphose comme passé.

Les Grecs trouvent Achille, les Atrides, Œdipe, dans leurs phantasmes et non dans leur histoire. Poser qu'il n'a pas existé d'homme sans passé, c'est découvrir comment la présence des morts, sous les formes les moins spectrales, fait partie de l'esprit humain. Et dès que nous suspectons ce que le xixᵉ siècle tint pour une évidence : que bibliothèque et musée rassemblent une succession de *produits,* comment ne pas isoler, dans la production artistique, les œuvres avec lesquelles notre relation ne se limite pas à la connaissance (qui les laisserait dans le temps chronologique), mais s'établit dans un autre domaine, que nous reconnaissons au sentiment qu'il nous inspire, l'admiration. Émotion et non connaissance, libre du temps chronologique (quelle émotion échappe au présent?) et dont l'époque, que nous n'ignorons pas, appartient aussi au passé sans âge et sans histoire même s'il se manifeste à travers tel manuel ou telles fouilles de Troie. Shakespeare ressemble plus à un revenant qu'à un mauvais poète.

Nous avions meublé inépuisablement notre passé historique. Nous disposons d'une archéologie de la littérature sans précédent. Nous pouvons rêver d'une Bibliothèque de la Pléiade où figureraient les œuvres illustres seulement par leur titre, les œuvres les plus insolites, celles où s'expriment les goûts d'époque disparus, comme la photo permettrait de constituer le musée des témoignages de toute la production artistique. Mais cette bibliothèque qui nous fait rêver, ce pittoresque cortège de fatrasies et de Grands Cyrus, ne se confond pas plus avec notre Pléiade, qu'un inventaire général des œuvres d'art, avec notre Musée Imaginaire. On peut tenir pour épisodique (épisode considérable) que les symbolistes découvrent Rimbaud, que les surréalistes redécouvrent Lautréamont; mais non que notre bibliothèque ne soit pas celle de nos prédécesseurs, augmentée de Rimbaud et de Lautréamont. Ne confondons pas la métamorphose avec des adjonctions. Ni la présence du passé, avec sa connaissance.

Le xixe siècle a conservé des siècles classiques, le préjugé de la souveraineté de l'homme sur son goût et son admiration. L'admiration classique (dont nous oublions qu'elle a été mise en forme par Voltaire et non par les Observations de l'Académie sur *Le Cid*) est un sentiment rationalisé. « L'homme qui s'aperçoit que son goût s'écarte de la doctrine, s'applique à le corriger. » Cette maîtrise accordée à l'homme, les romantiques la reconnaissent-ils? Comme, en psychologie, nous acceptons dans maints domaines le primat de l'inconscient, le romantisme accepte un primat de l'admiration, grandie et non diminuée par une irrationalité supposée. Il se soucie peu de légitimer son admiration commune pour Rembrandt, Michel-Ange et Goya; il lui suffit d'opposer Shakespeare à Racine. Mais l'admiration n'a cessé d'être une préférence exaltée que grâce à l'inconscient, à la psychologie des profondeurs. Elle a échappé au jugement lorsqu'elle est devenue problème.

Le roman, genre littéraire relativement récent, ne domine pas la bibliothèque comme la sculpture domine le musée, mais comme pourrait le dominer l'art moderne — la peinture depuis Manet. Le fait pictural est plus puissant que le fait littéraire, puisqu'il n'a pas besoin de traducteurs. Mais le roman se prolonge en littérature. *La Princesse de Clèves, Adolphe*, Balzac, Stendhal, Dostoïevski, Joyce, Gide, sont simultanément présents pour nous dans le temps sans durée où les rejoignent Corneille, Shakespeare, Virgile ou Eschyle; *Madame Bovary* échappe au temps chronologique de la même façon qu'appartient au Musée Imaginaire, la présence simultanée des bisons de Lascaux et des pharaons. Est résurrection tout ce qui vient de l'autre côté de la mort.

Le mot embellir avait trouvé en Europe une fortune singulière. Où ce mot s'est-il appliqué simultanément à des opérations aussi différentes que la fabrication des têtes de cire qu'exposaient les coiffeurs, l'éclairage des photos de stars, et (sous le nom d'idéalisation) l'établissement des formes d'un classicisme tenu pour art suprême? Mais au Musée Imaginaire, la rivalité apportée par l'ensemble des arts — du Çiva au fétiche — néglige l'embellissement. Cette rivalité s'exerce entre la vie universelle, et ce qui vient de l'homme seul; entre la Création et une création-parallèle, qui s'en inspire mais ne saurait la reproduire, puisqu'elle ne saurait être tout. Les grands styles sont élaborés comme des langues; et le Musée Imaginaire entier, une création-parallèle des hommes. Bien que la bibliothèque ne lui ressemble pas, tous deux, comparés à ce qu'on nomma la nature, donnent au mot rivalité, le même sens. Ce qui protège l'écrit, du dilemme dont Pascal accable la peinture (« admirer l'imitation des choses dont nous n'admirons pas les modèles »), c'est son impossibilité d'imiter. Depuis des siècles, l'homme feint de copier, le croit — et sait si bien qu'Œdipe n'est point un vivant, qu'il commence par lui mettre un masque de pierre. Mais si l'imitation est vaine, la rivalité ne l'est pas. Certes, Œdipe n'est nullement un mortel. Destiné à vivre plus longtemps que les vivants. Un personnage d'imaginaire. Et l'art rivalise avec la Création, dans l'imaginaire.

La littérature est un imaginaire dans sa totalité, et de quelque réalisme qu'elle se réclame — à la façon dont l'art chinois ou égyptien est idéographique dans sa totalité, quelle que soit la multiplicité des batailles égyptiennes, des paysages chinois. L'horreur qu'éprouvait un Chinois, qu'eût éprouvée un Égyptien, devant nos images illusionnistes, vient de ce que le système de relation de figures idéographiques entre elles était irréductible aux nôtres, identiques pour eux à celui de la nature. La bibliothèque est semblable au mur égyptien, au rouleau chinois : son système de relations ne coïncide pas avec celui de la réalité, qui est un tout; mais avec celui d'un fragment de réalité : les mots. Les adaptations cinématographiques des romans nous l'ont montré clairement. Le style de l'Occident, pour l'Orient traditionnel, fut une bibliothèque phonétique, le style des grandes dynasties égyptiennes ou chinoises est pour nous une idéographie.

Que l'on compare le moulage de la tête d'Akhnaton, aux têtes sculptées du pharaon. Le livre rivalise avec la vie comme la sculpture avec le masque, par ce qui l'en distingue. L'homme ne copie pas la vie, même s'il croit le faire, parce qu'il opte pour le basalte égyptien, pour le kakemono, pour la bibliothèque : c'est la cohérence du style, qui devient rivale de l'insaisissable universel. Peut-être parce que dans notre univers condamné, elle survit comme les autres chefs-d'œuvre, et le masque, comme les autres momies.

Notre relation avec la littérature, imposée par la métamorphose, se sépare des précédentes en ce que celles-ci aspiraient toutes à une permanence : beauté, raison, expression, passion. Sa référence nous retient moins que sa nature, lorsque cette nature devient énigme. L'étude des œuvres du passé, fondée sur des lois ou la subjectivité, n'avait jamais rencontré simultanément un consensus et l'impossibilité de le légitimer.

Car rien ne légitime la " présence " des œuvres, sinon ce consensus. Qui ne repose évidemment pas sur de nouvelles normes, comme le romantisme le crut encore de lui-même (« le génie est légitime partout et toujours »), mais sur une nouvelle relation entre l'homme et les arts. On avait admis qu'un lecteur du xiie, du xviie ou du xixe siècle établît entre sa bibliothèque et lui une relation semblable, soumise à des critères différents. Comme le romantisme, mais pour des raisons plus profondes — l'étiquette " génie " ne résout plus nos problèmes — nous devinons dans la littérature la présence d'un élément qui n'est pas que littéraire; dans la peinture, la présence d'un élément non-pictural. Le rapport entre Eschyle et Rembrandt est plus profond qu'entre Rembrandt et ses disciples, qu'entre Eschyle et Campistron. Le romantisme l'eût attribué à un jugement, qui rejetait Campistron; non à une présence, où se rencontrent Eschyle et Beethoven.

Maintes présences, cependant, dépendent spécifiquement de la littérature. Certes, la secte collectionne avec bonheur. Ne confondons pourtant pas la renaissance de Virgile avec celle de Pétrone, la résurrection de Shakespeare avec les passions du second rayon. Mais l'existence du second rayon pose un problème capital, parce que, s'il semble vain de le résoudre par un sens esthétique de l'homme, spécifique et jusqu'ici négligé, il reste qu'un accent spécifique, dans chaque art, possède le don de présence, comme les œuvres capitales. Nous n'égalons pas Saint-Amant à Villon, mais comme Villon, il est là. Plus la présence est annexée par la secte, plus son domaine devient hétérogène... On a cru que la bibliothèque, le musée, rassemblaient les réponses successives à la question posée par la mort; aujourd'hui, leur totalité incarne la question plus que les réponses, avec une force de cimetière ou d'Olympe. Leur part de transcendance se délivre de ses incarnations, mais non du domaine profond où elle s'incarne. « Patrocle est mort, qui valait mieux que toi! »; mais Achille est mort, qui valait moins qu'Homère. Pourquoi Homère, qui n'incarne même plus le mythe du génie suprême, vaut-il plus que lui? Mais comme Patrocle, Périclès est mort (et Périclès lui, fut vivant). *L'Iliade*

291

incorruptible rendait saisissable le monde de
la littérature; le temps des œuvres immortelles
est terminé. Lorsque la présence de l'œuvre
semble s'imposer en créant notre volonté —
qu'il s'agisse de pièces relativement récentes
comme celles de Shakespeare, ou de très
anciennes statues comme celles de Sumer ou
de Memphis —, entre en jeu un élément que nous
ne pouvons limiter à l'esthétique; que le romantisme a pressenti, que nous éprouvons plus
lucidement parce que nous possédons un plus
troublant passé. « Ce qui fait qu'une œuvre
compte, qu'un chef-d'œuvre est un chef-d'œuvre,
disait Braque, est précisément ce qu'on ne peut
en exprimer... »

Mais ce par quoi elle touche les deux tiers de
la secte...

De telles hypothèses, notre conscience de la
métamorphose, la fin du préjugé de l'imitation,
nous contraignent à ne plus tenir l'art pour un
talent de représenter — en même temps qu'à ne
pas le *définir* par une superstructure; mais alors
la bibliothèque ne rivalise pas avec le monde,
elle rivalise avec la discothèque. Et pour un

musicien, ceux de ses disques qu'il n'écoute jamais appartiennent-ils à la musique, ou à l'histoire? C'est la présence, qui sépare l'œuvre de l'objet, donc de l'histoire. La survie n'est plus le privilège d'une séduction, mais le caractère énigmatique et fondamental de l'art. La relation s'inverse. Lorsque nous mêlons dans notre admiration les sculpteurs de Sumer, ceux du Parthénon et ceux de Chartres — ou Eschyle, Villon, Shakespeare et Racine —, c'est l'art, qui pénètre dans un domaine que nous n'appelons pas l'éternité, mais que nous éprouvons bien comme un a-chronisme. Si ce n'est pas la première fois que l'homme s'interroge sur l'art du passé, c'est bien la première fois que l'énigme fait partie de sa relation fondamentale avec lui.

Énigme qui n'est pas dans l'œuvre (les classiques ont admiré passionnément Virgile, cru admirer Homère de la même façon), mais dans l'art. Au-delà de la délectation, si haut qu'on ait placé celle-ci. Au pouvoir de séduire, au pouvoir de faire admirer, s'est ajouté le pouvoir trouble et profond de susciter ce qui n'existait pas — même en art. Pouvoir vainqueur du temps à travers son irrésistible intermittence, dont la métamorphose nous a rendus conscients. Les chanoines d'Autun qui, au xviiie siècle, recouvraient de stucs le tympan de Gislebert, les gens de goût qui à la même époque flétrissaient Shakespeare, ne tenaient certes point le pouvoir créateur pour aussi vieux que l'homme — d'abord parce que l'idée de création en art, telle que nous l'entendons, leur était étrangère. Or, le pouvoir créateur fonde le pouvoir métaphysique de l'art, à l'égal du Trésor des siècles. Il l'avait trouvé dans l'immortalité de la beauté, du génie; en un temps qui ne croyait plus en eux, il la maintint par la métamorphose. Nous ne connaissons les bisons de Lascaux qu'à travers lui, mais il nous rend sensibles au pouvoir des quelques semi-gorilles qui dessinèrent *ainsi* leurs bisons. Nous ne connaissons les tragédies d'Eschyle qu'à travers lui, mais Victor Hugo a raison de proclamer que le pouvoir d'Eschyle est le même que celui de Shakespeare. Si l'humanité a voulu trouver dans la bibliothèque, le musée, des ornements du passé, la pluralité des passés ne le supporte guère : si l'Acropole est un ornement d'Athènes, le Portail Royal n'est pas un ornement de Chartres; si Racine est un ornement de Versailles, Rabelais n'est pas un ornement de Chambord. Les peintres modernes jugent injurieux qu'on les tienne pour décoratifs. C'est notre civilisation, qui découvre que le besoin de création semble aussi constant que celui de communion, peut-être que l'amour maternel. Entre le passé, et la bibliothèque ou le musée, la rivalité qui s'est établie semble proclamer que la création artistique seule, rivalise avec la Création.

Même l'histoire des créations ne se confond pas plus avec celle de la production, que leur essence ne se confond avec l'imitation ou l'idéalisation. Proust, qui ne doit rien à *Madame Bovary*, est concerné par ce roman et non par *Le Roman d'un jeune homme pauvre* publié la même année. Parce que la métamorphose s'exerce sur des créations, non sur des produits; celle de Cézanne, sur ce qui, dans une pomme de Cézanne, ne ressemble *pas* à une pomme. Celle de Flaubert, sur ce qui, dans *Madame Bovary*, ne ressemble pas à Ry, modèle d'Yonville pour les touristes — ni à Feuillet...

La production littéraire d'un temps glisserait, par une insensible dégradation, des chefs-d'œuvre aux navets vulgarisateurs; chaque époque porterait en elle la part d'aveuglement dont la délivrerait une impartiale postérité. Le passionné de littérature se diluerait en indifférent, comme le général en soldat de deuxième classe; le lecteur de Victor Hugo en lecteur de Ponson du Terrail, et Proust, en romans policiers? Comme si la production de 1857 ressemblait à *Madame Bovary* et aux *Fleurs du mal* (en moins bien...), non au *Roman d'un jeune homme pauvre!* (en aussi mal...). Le plan incliné qui va du génie au navet — " les degrés infinis du talent " — repose sur l'illusion tacite de l'unité du genre romanesque, sur la certitude que les arts figuratifs tendaient à imiter ou à idéaliser des modèles réels, imaginaires et surtout mixtes. D'où la conception de la peinture, du roman, comme de productions homogènes, malgré les querelles d'écoles. Et l'affirmation, vers 1900, que bientôt les lecteurs de *Madame Bovary* auraient éliminé ceux du *Jeune Homme pauvre*. Qui ne fut nullement remplacé par *Madame Bovary,* mais par les romans d'Ohnet.

Et Delly ne succédera pas à Ohnet comme Dostoïevski à Flaubert. Ce sont les produits qui se ressemblent, non les créations; et Ohnet emporte Feuillet alors que Dostoïevski n'emporte pas Flaubert. Le temps révèle entre les chefs-d'œuvre du néant une identité meurtrière. Les livres noircissent en vieillissant. Ils naissent comme de petits zèbres, blancs et noirs; mais lorsqu'ils vieillissent, les créations blanchissent, leurs rivales usurpatrices demeurent striées, ce qui les rend illisibles.

C'est l'un des caractères majeurs de la création — et qu'il appartienne aux *Chants de Maldoror* comme aux *Essais* de Montaigne, à l'*Olympia* de Manet comme aux statues sumériennes, mérite attention — de vouer l'œuvre à la métamorphose, donc de lui donner proprement la vie. C'est pourquoi la menace de récupération des génies réfractaires n'a pas d'objet. Elle suppose un récupérateur stable, que nous ne trouverions pas d'une civilisation à l'autre (qui, " récupéra ", avant nous?) et avec lequel la secte est inconciliable. Nul ne pense que Goya, Van Gogh, aient été récupérés par la peinture académique, ni par son public; la métamorphose, où l'imaginaire de Titien devint celui de Shakespeare, nous oppose une bien autre complexité, que le conflit de l'art moderne

avec l'académisme. Donc, récupérés *par qui?*
Lorsque Van Gogh entre au Louvre, il ne le
reconnaît plus. Car Manet s'y trouve, et tout
réfractaire métamorphose ce qui croit l'annexer. Lorsque Mai 68 éclata, la Sorbonne
avait-elle récupéré Rimbaud, ou le mythe de
Rimbaud avait-il annexé la Sorbonne? Le destin
joue plus haut, et ce n'est pas un instinct
absurde qui nous fait pressentir dans la bibliothèque, comme dans le musée, un ferment de la
noblesse du monde.

Nous éprouvons le passé comme destin,
comme inséparable du sentiment de dépendance. L'athée éprouve autant que le croyant
ou l'agnostique, la conscience d'un monde qui
serait le même si lui, n'existait pas — la faille
apportée par lui dans l'univers. L'homme est
d'abord dépendance, fût-ce de l'absurde, puisqu'il mourra. La prière d'une foule ne rend pas
ses croyants immortels, mais elle les fait accéder au monde où la mort ne règne pas; la littérature ne rend pas ses fidèles immortels, mais
échappe à la mort — et elle pose ses questions
avec tant de force que si nous avions la certitude que le chien se les pose, nous cesserions de
l'appeler une bête. Cette communion inspire

à la secte un sentiment que ne limite pas l'admiration du poète devant *Macbeth* ou *La Divine Comédie*. Nous sommes confondus, que l'homme ait inventé l'Homme avec les dieux; mais qu'il l'ait inventé sans eux ne nous confond pas moins, parce qu'il devient conscient de l'invincible création-parallèle, de l'art comme démiurgie. La survivance de l'esprit répond à la dépendance de l'homme comme le destin dominé répond, dans le roman, au destin subi. Certes, toutes les bibliothèques deviendront poussière; mais pendant des siècles, un monde aura échappé à la dépendance, par l'admiration qu'il inspire, la survie qu'il possède, une existence ambiguë qui n'est ni celle des objets ni celle des créatures; et qui paraît en pleine lumière au service de la dépendance même, dans la littérature religieuse : quand les Pères, Saint Augustin, Pascal, ne parlent que de Dieu, ils font parler l'homme. Imaginons que la littérature n'existe pas...

Ce qui fait rêver; mais suggère en elle, plus qu'un miroir promené le long du passé, un pouvoir à travers lequel l'homme s'atteint comme à travers les dieux, les héros, les saints — à travers ce qui échappe à sa subordination essentielle, pour un enjeu inconnu. Mais comment une civilisation acculée à la fois à l'histoire et à modifier son dialogue avec tout l'imaginaire, maintiendrait-elle le rapport établi par le XIXᵉ siècle avec un art qu'elle métamorphose — alors qu'elle ignore, pour la première fois, ce qu'elle attend de l'homme ?

XIV

L'ALÉATOIRE

Dans l'imaginaire de roman, le lecteur a été confident du destin. Mais dans l'imaginaire des images?

Il faut revenir à Sainte-Beuve, parce que nul intellectuel du siècle dernier n'a mieux pressenti (ni avec plus d'hostilité), le roman, comme porteur d'une nouvelle culture. « Le roman va tout dévorer! » Il y voyait la victoire de Pigault-Lebrun et d'Eugène Sue : ce fut celle de Dostoïevski. Il n'acceptait pas que la fiction pût s'élever à la dignité du discours. On voulait qu'un personnage fût probant, non contagieux; exigence à laquelle Byron avait beaucoup nui. Longtemps, on tint le roman romanesque pour un jeu; on croyait distraitement que l'on pensait de l'homme ce qu'en enseignait l'Église — ou le contraire. Pour que l'on découvrît une culture dans la fiction des grands romanciers, il fallut que l'Occident prît conscience que l'homme vit dans un imaginaire dérisoire, et qu'un grand roman oppose un monde à ce fatras, comme Descartes avait opposé son ordre à l'informe. L'esprit n'était-il pas servi par *Madame Bovary* contre le romanesque du Second Empire, *Anna Karénine* contre le niveau des quotidiens, autant que naguère par l'*Encyclopédie?* La fiction ne transmettait pas seulement des valeurs romanesques, mais aussi des valeurs tout court. Bientôt, récuser ou ignorer le roman semblerait amputer la culture. L'intelligence n'avait pas été absente du roman du xviiie siècle, anglais en particulier. Mais elle y restait soumise aux personnages, notamment au principal, qui lui donnait son titre. Et l'Angleterre ne prenait pas ses écrivains tout à fait au sérieux : le sérieux, c'était la Bible. Balzac ne conçoit *La Comédie humaine* que s'il y rend intelligibles l'homme et la société par son œuvre (que l'éclaire ou non le flambeau de la religion, dont il se réclame). L'une des ambitions premières du roman, désormais, sera de saisir l'expérience humaine à travers la fiction; ne définirions-nous pas ainsi *Guerre et Paix?...*

C'est seulement au xixe siècle que l'on tient pour cultivé un lecteur dont la culture est principalement romanesque (en sommes-nous si loin?). Mais quelle culture de notre siècle reposerait sur les grands films? La passion pour le roman se portait aussi sur l'homme : alors que les cinéphiles ne se soucient pas de l'homme, mais du cinéma. Leur culture est d'ailleurs celle qui vient du roman, expérience plus que connaissance, et communion ou complicité plus que rigueur. Depuis *Le Rouge et le Noir* jusqu'à *Guerre et Paix,* si largement que s'ouvre l'éventail, c'est par la qualité de l'expérience, que le stendhalien, le tolstoïen, ne sont manifestement pas " incultes ". L'audio-visuel naît dans cette culture de la sensibilité; mais les grands romanciers apportaient à leurs lecteurs une maturité, les grands films infantilisent leurs spectateurs. Et les plus célèbres sont des films burlesques...

L'industrie cinématographique porte sa part de cette puérilité — bien que le cinéma soviétique *dans son ensemble* n'apporte pas un Marx ou un Tolstoï moins puérils que le Stendhal de Hollywood. Le plus célèbre cinéaste, Chaplin, est le seul qui ait à l'occasion créé lui-même ses sujets, établi ses découpages, dirigé ses acteurs, assumé la production de ses films et contrôlé leur distribution.

Mais les adaptations filmées nous ont révélé un facteur dont la production est fort innocente : le film ne peut exprimer l'homme intérieur que par les moyens du théâtre. Lier de façon plus ou moins étroite roman et expérience humaine, imposait le recours, non seulement à l'introspection, mais encore à la liberté qui permet au romancier d'éclairer son personnage tantôt du dehors et tantôt du dedans; de passer au gré de son génie, de la photo à la radioscopie. Cette faculté, nous avons vu le monde du roman la conquérir sur celui du théâtre. Or, l'audio-visuel apporte à l'imaginaire des moyens aussi limités que ceux du théâtre : ils ne saisissent directement que l'homme extérieur. Le film a conquis la parole, la couleur; mais aucune découverte de l'illusionnisme ne délivrera l'audio-visuel de l'esclavage hérité de la scène, et qui le sépare encore du roman de façon absolue : la privation de voix intérieure. Il en est toujours au confident, au commentaire ou à la " voix off ". Comment imaginer un grand roman où le romancier ne pourrait s'adresser directement au lecteur que par la *voix* de ses personnages?

Mais les génies du théâtre? Ils sont antérieurs à la notion de l'homme qu'apportera le roman.

Ensuite (Claudel appartient à la poésie) ils deviennent épisodiques; nous lisons aujourd'hui avec stupeur les essais qui égalaient Ibsen à Dostoïevski. La démiurgie du romancier ne vint pas seulement de l'individualisme du xixe siècle, mais de ce que le personnage saisi à la fois du dehors et du dedans, correspond au sentiment que l'individu éprouve de lui-même. Il croit se connaître de l'intérieur en ce qu'il connaît ses secrets; et de l'extérieur, parce qu'il tient la vie de relation pour un immense miroir, croit se regarder " objectivement ". Les romans présentent les personnages comme se voit l'individu, l'audio-visuel le présente comme il voit autrui.

L'inaptitude de l'image à saisir l'homme intérieur coïncide-t-elle avec la crise que l'Occident rencontre en même temps que la métamorphose? Notre imaginaire n'eût évidemment pu jouer le rôle qu'il joue, chez l'homme des cathédrales, des Grandes Monarchies, ou même du scientisme triomphant. Pour Zola, comme pour un thomiste, ou simplement un chrétien, l'homme se concevait, et ce concept de l'homme impliquait un concept du monde. La mutation présente espère aussi peu fonder le monde sur l'homme, que fonder l'homme sur le monde.

La seule métamorphose totale qu'ait subie notre continent fut celle du monde antique en chrétienté, parce qu'il y eut destruction de ce monde, transmutation. Le passage de la chrétienté aux nations n'a pas retrouvé ces temps d'Apocalypse. Depuis la Renaissance — depuis la fin de l'imaginaire-de-Vérité — les chrétiens ont seulement cessé de définir la qualité de l'homme par celle du chrétien.

La quête du type exemplaire auquel ils aspiraient s'efforçait de saisir la qualité de l'imaginaire profane, dont le reflux de la foi laissait sur le sable, l'escadre de galères coulées. Nous donnons le titre d'arts à ces imaginaires psalmodiés, peints, écrits, lus ou transmis par l'écran. Figures de civilisations ordonnées par des valeurs, exprimées ou non par des doctrines, toujours incarnées par une formation de l'homme.

L'homme a pensé à lui-même avec beaucoup de légèreté, car il ne l'a fait avec profondeur qu'en fonction du divin, par quoi il ordonnait toute méditation majeure : le mal, le destin, la mort. « Que l'homme soit fait pour le bonheur, certes, toute la nature l'enseigne. » Illustre il y a soixante ans, cette phrase est devenue insolite. C'est pourtant la certitude confuse mais évidente que le bonheur réfutait à l'avance, la question posée à l'homme par la mort, qui parut quelquefois rendre leur dialogue inconséquent et vain. Nous avons conscience de ce que l'idée de bonheur porte d'enivrant et d'inintelligible. Le contexte indique clairement qu'il ne s'agit point de béatitude, mais de plaisir. Donc, de plaisirs. « Vous savez bien, disait abruptement le général de Gaulle, que le bonheur n'existe pas, c'est le rêve des idiots! » Il entendait par là que le bonheur ne serait concevable que comme un plaisir vainqueur du temps, que bonheur signifiait l'impossible accord du plaisir et de la durée, dont les hommes éprouvent à la fois la fascination et l'antinomie. Sa réflexion propre, si attachée à la grandeur, a-t-elle observé qu'entre tous les grands types humains, celui de l'homme heureux ne figure pas? Le paganisme antique fut à plusieurs reprises, pour la chrétienté, une religion imaginaire du bonheur; non pour lui-même. Et nous avons fini par en incarner l'accent voluptueux dans un des plus grands stoïciens, Épicure.

L'Espagne et l'Angleterre, qui fondèrent nos

307

plus vastes empires, *nommaient* leur type exemplaire : gentleman, caballero (L' " honnête homme " français est loin de s'implanter à cette profondeur). Romain avait suffi pour Rome, et chevalier, pour la chrétienté. Ces types ne reposaient pas sur une idéologie, mais sur l'imaginaire et sur une formation exercée dès l'enfance, plus agissante par sa contagion que par sa doctrine. Une civilisation vivante repose sur ce consensus vital sans lequel ne reste que l'abstraction des ères disparues, la gloire de Thèbes ou de Babylone. Toute culture au sens d'organisme et non de raffinement — donc, au sens où nous parlons de la culture égyptienne, chinoise, aztèque — postule ces galaxies de sentiments. Chaque grande religion, en soustendant une culture, sous-tend une image de l'homme — et le xixe siècle crut la sienne assurée par les Lumières et la science, comme elle l'avait été par le christianisme.

Ajoutons que le machinisme apporte un type d'homme nouveau peu conscient de sa formation. Paysan, bourgeois, courtisan, se concevaient tels, et l'Europe tenait à cette architecture. Le nouveau type, dont le symbole est évidemment l'Américain au milieu du xixe siècle, n'admire pas les hiérarchies (et d'abord pas l'armée), ne les supporte qu'indispensables. Différence entre beaucoup d'autres, par exemple le mythe exclusif de l'avenir, et plus encore le fait qu'aux États-Unis, la paysannerie n'est pas la survivance de l'histoire : par le nombre, par l'esprit, ils forment le premier peuple de citadins.

Les valeurs suprêmes des civilisations, notamment les religions, avaient toujours été des valeurs ordonnatrices. De façon secrète ou proclamée, l'Occident reconnaissait dans la science, sa valeur suprême; tout l'homme serait objet de connaissance, présente ou future. Le progrès de la science, *en tant que croyance,* faisait partie de cette mégalomanie. Les Goncourt notaient, il y a un peu plus d'un siècle : « Au dîner Magny, Berthelot prédit que dans cent ans de science, l'homme saura ce que c'est que l'atome, et pourra, à son gré, modérer, éteindre ou rallumer le soleil; Claude Bernard, de son côté, annonce qu'avec cent ans de science physiologique, on pourra faire la loi organique, la création humaine. » On croit lire un pastiche.

Je n'entreprends pas de mettre en cause la valeur de la méthode scientifique, sans laquelle l'Occident n'existerait pas; mais d'en préciser la nature, parce que c'est de LA science, et d'elle seule, que le XIXe siècle attendit le secret que l'humanité avait attendu des religions. L'histoire devenue destin des empires, la biologie, destin des espèces, le domaine qu'avait désigné le mot âme se décomposait, celui de l'inconscient n'existait pas encore; la formation de l'homme ne posait cependant aucun problème, toute science étant, par nature, pédagogique.

Alors on découvrit jusqu'à la stupéfaction (les guerres aidant...) que la science ne possède *aucune* valeur ordonnatrice. Le christianisme avait formé des chrétiens; la science, qui n'en formait plus, ne formait nullement des athées. Capable d'élaborer seule la force nucléaire, de découvrir l'anesthésie, elle n'était pas capable d'élever seule un adolescent.

Avec les pouvoirs formateurs traditionnels, foi, cité, famille, s'affaiblissent ceux qui ont secrètement formé l'homme, la religion sans catéchisme, l'obscure religion paysanne annexée par l'Église — celle qui avait créé le carnaval, fait porter des couronnes sur les tombes — tous les pouvoirs qui ne reposent pas sur des connaissances, mais sur des croyances. Le dîner Magny s'estompe, et l'on commence à dire avec le même Berthelot : « L'homme est capable de tuer un bœuf, non de créer un œuf. » Cette Europe fait du siècle prochain — le nôtre — son dieu futur. Son scientisme n'exprime pas seulement sa foi en ce qu'il est, mais aussi en ce qu'il sera. Il récuserait moins fermement un autre-monde, s'il ne se fondait sur l'avenir de celui-ci, sur la venue assurée d'un Paraclet — *nous*. Mais nous, l'attendons-nous encore? La science n'est plus sans passif. L'anesthésie, demain la guérison du cancer, n'interdisent pas l'atomisation de la terre, pour la première génération capable de détruire l'humanité par inadvertance. Nous avons changé d'avenir.

Ni une doctrine ni un individu, ne suffisent à faire un homme. Nous espérons savoir quelle osmose nourrit notre formation, mais nous tenons la vie humaine, pour objet d'apprentissage. L'homme ne se prépare pas plus à lui-même par la science, qu'à l'amour par la gynécologie; « L'éthique s'est créée tout entière en opposition aux lois de la biologie », écrivent nos biologistes. Il est révélateur que la crise s'attache à l'uniforme : militaires, magistrats, universitaires, prêtres... La soutane ne disparaîtra pas seule.

Une civilisation qui se conçoit, tient le monde et l'homme pour des cosmos — donc, pour ordonnés : Grèce du ve siècle, chrétienté des xiie et xiiie, Grandes Monarchies. Même le xixe se conçut plus qu'on ne le dit, si l'on tient compte qu'il chargeait le xxe de résoudre sa part d'énigme. Mais la mort ne concilie pas la science et l'individualisme : banalité pour l'une, scandale pour l'autre. Et nos découvertes ne parviennent pas à la dissoudre dans une indifférence antique, dans un crépuscule d'Érèbe.

Aucune question n'interroge l'homme de façon aussi pressante que celle qui lui demande le sens de la vie, puisqu'elle est posée par la mort. La vie a un sens, s'il s'appelle la Révélation. Mais du xixe siècle, est née la conviction que l'homme pouvait *comprendre* le sens de la vie comme il pouvait comprendre son histoire. Cette histoire avait pour fin de rendre intelligible l'aventure de l'humanité, le secret du cosmos. Elle répondait à un : comment. Le sens répond évidemment à un : pourquoi. Et, le plus souvent, par le contraire de l'intelligible : le mystère au sens religieux. On peut traduire les religions déclinantes en doctrines et en morales, mais si elles ne portaient rien de plus en elles, elles ne seraient pas nées.

D'autres forces accordent l'homme, au monde : Rome ne fut point une civilisation religieuse. Forces irrationnelles à la façon de la vie elle-même, pas nécessairement inconscientes; mais, elles aussi, à l'opposé de celles sur lesquelles se fondent les sciences. Il existe une formule de l'énergie, mais non du sens de l'homme, et le génie de Pascal s'accroche au scapulaire.

L'Occident, avant le xixe siècle, a vécu dans une métempsycose illimitée. Proclamant la Résurrection, le Jugement dernier, il a cru rejeter les réincarnations en même temps que les lieux vagues — Champs élysées, Schéol, immortalité des Lumières — où émigrait l'âme. Il restait pourtant lié à ces limbes par un domaine si vaste et si évident qu'il ne le saisissait jamais : il concevait la mort comme un *changement*. Que signifie trépasser, sinon passer au-delà? Pour que l'aléatoire naquît, fallait-il que ce changement s'abolît? Ou peut-être, subsistât côte à côte avec la mort sans recours, parfois chez le même mortel? La science interroge la mort, au temps même où la mort commence d'interroger réellement l'homme.

Mais la vraie réponse apporte-t-elle un sens, ou s'efforce-t-elle d'immuniser l'homme contre la question? " Sans remède " symbolise la pensée tragique, mais les réponses religieuses, la communion du christianisme et du bouddhisme, n'ont-elles pas recouvert un silence qui contribuerait à former l'homme, à l'égal de l'adhésion, si avoir un sens, pour une civilisation, signifie aussi : rejeter la question du sens.

Rien ne prouve qu'une civilisation ne puisse se développer dans un tel refus, comme l'être humain dans l'ignorance de la façon dont il mourra. Crise de civilisation, de croissance, ou seulement métamorphose, la mutation de l'imaginaire se produit à l'intérieur d'une civilisation qui ne se conçoit pas. Ni l'optimisme scientifique ni l'optimisme conquérant, ni le scepticisme douillet ni le scepticisme tragique proclamés par l'humanité d'hier, ne s'appliquent à cette conjoncture. Que la sommation prophétique de Nietzsche, de Dostoïevski, soit leur contemporaine et celle des derniers fidèles du

« *Carpe diem* » épicurien, continue à nous déconcerter. Appeler les hommes à cultiver leur plaisir (ce qui, pour Sainte-Beuve, allait encore de soi) nous semble hérité d'une Chine de paravent. On ne jardine pas dans les terrains d'Apocalypse. La plupart de nos contemporains se disent croyants, mais leur civilisation ignore ou subordonne leurs croyances. Elle n'est plus religieuse, elle est moins athée qu'elle n'a cru le devenir. Les États-Unis ne sont sans religion que, dans l'esprit de l'Europe. La chrétienté, l'Islam, l'Inde, la Chine, le Japon, le Mexique, au xııᵉ siècle, se ressemblaient plus entre eux, qu'aucun d'entre eux ne nous ressemble. Il y a cent ans — quand on l'ignorait... — on eût affirmé : toutes ces civilisations étaient religieuses, et notre civilisation technicienne sera positiviste — ou matérialiste. Une civilisation technicienne exige une méthode expérimentale, mais nous avons appris qu'une méthode ne suffit pas à former une civilisation. Et la nôtre, pour tout ce qui échappe à la méthode, n'est nullement positiviste, elle est aléatoire.

Notre époque se montre prodigieusement efficace pour élever à tâtons une civilisation, qu'elle se montre prodigieusement inapte à ordonner.

On ne peut comprendre l'aléatoire si on le confond avec un scepticisme, parce que cette incertitude englobante règne au paradoxal sommet de certitudes limitées. Indéfinissable parce qu'incomparable : l'humanité ne l'a pas plus connu qu'elle n'a connu la pilule. Mais seule, une idéologie affirmative, et non aléatoire, permettrait une métamorphose rivale de celle de l'imaginaire-de-Vérité en imaginaire-de-Fiction.

Toute métamorphose de l'imaginaire avait accompagné celle de ses valeurs. La puérilité du cinéma tient-elle seulement à son public? celui de Shakespeare était au moins disparate, et le mélodrame n'a pas tué le drame romantique, il l'a suscité. La machine, les media, appellent les masses, mais la secte se reforme dans ces masses. Elle conserve son double temps, sa présence d'œuvres qui devraient appartenir au passé; elle l'applique confusément au film. La secte du cinéma, ce sont les fervents des cinémathèques; si pour eux, *Forfaiture* n'appartient qu'au temps chronologique, marque seulement un jalon, n'éprouvent-ils pas la présence du *Potemkine* ou du *Gosse* comme un sculpteur éprouve celle des statues de Chartres?

Il existe pourtant, entre les " arts technisés " et ceux du passé, une différence d'ambition. La bibliothèque, le musée, sont des mondes de valeurs, et l'aléatoire n'est pas formateur de valeurs.

Non seulement l'imagination a souvent privilégié le passé (l'histoire du roman est comble d'Artabans et de mousquetaires), mais encore il advint qu'un passé devînt l'élément privilégié de l'imaginaire : les Anciens furent les mousquetaires sérieux de notre Renaissance. L'imaginaire de l'aléatoire, souverain à l'égal de l'Antiquité bien que plus trouble, est le vaste passé que filtre pour nous la métamorphose, celui où notre Hélène de Troie rejoint notre Isolde, où notre Musée Imaginaire rejoint notre bibliothèque, où la présence domine l'Histoire. Après l'imaginaire-de-Vérité, après l'imaginaire-de-Fiction, l'imaginaire de métamorphose? Il s'est développé en même temps que l'aléatoire, dans la civilisation que nous appelions moderne. Comment l'appeler lorsque nous voyons la nôtre la continuer si fidèlement, et l'effacer par sa fidélité? Nous sommes passés insensiblement de l'imprimerie à la rotative, du télégraphe à la T.S.F., du microscope optique à l'électronique, des Messageries aux avions de ligne, d'un éloignement (espace et temps conjugués...) à un autre, de la dynamite à la bombe atomique, du primat de l'Europe à son tâtonnement, de la grossesse à la pilule, d'une conception de la matière et de l'homme physique à une autre, d'une terre à une autre, de la salle de cinéma au poste de télévision. Mais non d'un concept de l'homme à un autre. Ni même, d'un imaginaire à un autre; sauf si nous établissons le dialogue entre l'imaginaire de fiction qui culmine dans le monde du roman, et notre imaginaire de métamorphose — non entre le cinéma et la télévision... Parce que cette métamorphose, flagrante devant le musée et le petit écran, un peu moins devant la littérature ou l'histoire, devient insaisissable dans sa totalité, à la façon de l'air qui nous baigne. Nous vivons aveuglément dans la métamorphose comme le xixe siècle a vécu orgueilleusement dans le scientisme. L'audio-visuel n'a pas même inventé un fantastique, il illustre ceux de l'écrit. Évoquons l'homme de l'imaginaire-de-Vérité en face de son passé, Dieu; celui de l'imaginaire-de-Fiction en face des siens, de la beauté, finalement de l'Histoire; et nous, en face du nôtre, chancelant mais peut-être capturable, comme notre avenir.

Depuis 1914, les sciences présentent presque toutes la même mutation. Nous avons vu les Lumières opposer science à ignorance, le bilan du scientisme se confondre avec celui de sa victoire sur cette dernière. Or, les sciences, aujourd'hui, remplacent de moins en moins un domaine d'ignorance (ou de superstition, eussent dit les philosophes des Lumières) par un domaine de connaissance; elles apportent *des* connaissances rigoureuses qui ne s'ordonnent pas nécessairement. En physique, en histoire, en biologie, notre temps continue à poursuivre l'intelligibilité de l'aventure de l'homme, de l'espèce, des mondes. Mais lorsque Einstein déclare : « Et le plus extraordinaire est que tout cela ait *sans doute* un sens », il symbolise la civilisation dans laquelle la méthode scientifique cesse de pouvoir servir la connaissance, sans devenir en même temps, l'une des révélatrices majeures de l'inconnu.

L'aventure de l'homme — et lui-même... Comme le XIXᵉ siècle feignit d'en ignorer la sexualité, nous feignons d'ignorer qu'il doit être fondé à nouveau. Les " sciences de l'homme " chères au positivisme ont apporté bien des surprises, en ethnologie par exemple. Mais leur importance a masqué un fait capital : entre toutes les mises en question que la science fait subir à nos connaissances depuis cinquante ans, *laquelle dépasse celle de l'homme?* Certes, que Charcot aboutisse à Freud, semble plaisant. Mais dans des domaines plus rigoureux, à travers des méthodes moins contestées (en fait, incontestées), la biologie moléculaire, la chimie du cerveau, dégagent un Homme au moins aussi différent de celui qu'attendait Berthelot, que de celui de saint Thomas d'Aquin. La science de notre civilisation est celle du " mystère en pleine lumière ", mystère pourtant; sa grandeur aussi.

Présence et art sont liés pour nous de la même façon que le furent à la Renaissance, présence et beauté. Mais la beauté était une valeur législatrice, exclusive, on s'imagine mal le temps des Grandes Monarchies, conscient de la métamorphose. Le Musée Imaginaire ne pouvait s'élaborer que sur l'aléatoire, comme notre conception de la littérature, et même, peut-être, le roman. En ce domaine comme en quelques autres, l'art joue parfois le médium : les tableaux de Cézanne annoncent plus les gratte-ciel qu'ils n'annoncent les entrées du métro, *La Comédie humaine* ressemble au Second Empire que Balzac ne verra pas, plus qu'à la Restauration qu'il peint. Pourtant, notre Musée Imaginaire, notre littérature sont liés à l'aléatoire comme le fut la Renaissance à la corrosion de la chrétienté, comme le fut le romantisme à la mutation de l'homme en individu.

Nous n'avons pas conquis le passé du monde malgré l'aléatoire, mais par lui. Quelle religion avait jamais glorifié un autre art religieux que le sien? C'est dans la vacuité, la marge, l'attente, que les arts communient entre eux. Sinon, les princes de basalte sumériens auraient-ils cohabité avec Picasso, Lautréamont aurait-il fini par cohabiter avec Villon? Quels musées, quelles grandes bibliothèques, ne sont les cathédrales de la métamorphose?

Reste l'hypothèse d'un événement spirituel. La terre n'a pas connu la naissance d'une grande religion depuis l'Islam. Comment ne pas tenir néanmoins pour des événements, le franciscanisme et la Réforme en Europe, l'amidisme en Extrême-Orient, qui convertirent les hommes par millions? Ils cessent de naître lorsque la morale préfère la politique à la religion. Nous avons vu le scientisme prophétiser leur fin. Mais lorsque entre en jeu la plus puissante technique dont ait disposé l'imaginaire, quelles vagues profondes peuvent agir sur lui imprévisiblement, invinciblement? Nul ne prévit Giotto dans saint François, Vézelay dans les Évangiles, Angkor dans les sutras et les textes védiques; ni le scientisme, dans l'art pompier, la peinture moderne, le roman naturaliste. Comment les historiens futurs ne seraient-ils pas déconcertés, que l'époque qui découvrit à la fois la pluralité des cultures et la naissance des totalitarismes ait semblé croire l'humanité, spirituellement stable? Les bouleversements de l'âme récusent toute prévision, par leur nature même. Il faut confondre la Réforme avec la querelle des Indulgences, pour affirmer que le furieux augustinisme de Luther était " en germe " à Rome. Ne voir dans le bouddhisme qu'une Réforme de l'hindouisme n'est pas moins vain. La naissance de la chrétienté le montre de façon éclatante. L'Empire romain a longuement dialogué avec l'agonie de la pensée antique. Ce qui remplacerait celle-ci, elle le cherchait en elle-même : lequel des philosophes de Baïes — pour lesquels l'avenir était vraisemblablement voué au stoïcisme — eût pensé, lorsque saint Paul prêchait à Athènes, que ce hippy vociférait le langage du destin? Un événement spirituel submerge l'angoisse de la question posée aux hommes, sous une autre angoisse, sous une autre question, aussi bien que sous une réponse. Le déisme des Lumières ne fut pas un tel événement, mais la mise entre parenthèses de la religion, le fut. Le scientisme-positivisme-matérialisme aussi. Nous subirons peut-être la prochaine métamorphose plus que nous ne la gouvernerons, et sans l'avoir en rien prévue. Une civilisation durablement immunisée contre tout sens de la vie, serait-elle plus surprenante que ne paraissait le triomphe du christianisme, à la mort de Tibère?...

Nous rapprochons les agonies du passé quand elles se ressemblent; laquelle ressemble à l'aventure où nous sommes engagés? A la veille de leur chute, ni Mexico, ni Byzance, ni Pékin, ni Rome, n'étaient occupés à atteindre la lune. Une différence de nature sépare toutes ces agonies, de notre temps : leur passé ne leur fut pas apporté par une invincible métamorphose du monde, et elles s'y référaient comme à leur âge d'or; alors que si la civilisation occidentale s'effondrait avec la fin de notre siècle, cet effondrement se distinguerait encore de toutes les décadences, de tous les déclins passés, parce que l'Occident disparaîtrait à l'apogée de sa puissance. Nous ne saisissons la métamorphose qui nous gouverne, qu'en prenant simultanément conscience de ce qui la rapproche des autres civilisations, et de ce qui la sépare d'elles. Or, si nous connaissons le destin que toutes subirent en commun, nous savons aussi qu'aucune ne posséda une autre bombe atomique, ni un autre machinisme, ni l'héritage du monde. L'aléatoire est sans précédent.

Notre aléatoire s'apparente au scientisme dans un domaine presque unique, mais l'un des plus profonds : c'est d'écarter tout sentiment, tout état psychique : adoration, amour, propre à faire communier les hommes avec l'insaisissable. Ni l'évolution ni l'aléatoire n'ont de mystique, de « réalisation métaphysique », et moins encore de prière.

Rien ne montre mieux que le dialogue de Voltaire avec Pascal, l'impossibilité de soumettre à la raison, le problème du sens de la vie — moins problème qu'angoisse. L'interprétation voltairienne de la condition humaine n'est nullement faible, mais bien rationnelle; c'est à elle que Dostoïevski répondra, en faisant du supplice d'un enfant innocent par une brute, l'irréductible accusation du monde chrétien. Il faut que le monde ait un sens, pour que ce sens assume la souffrance, le Mal, fût-ce en tant que mystère. (Mais le sacrifice est-il moins mystère que le Mal?) Des millénaires ont dit, comme Villon : « Quiconque meurt, meurt à douleur. » Notre civilisation fait apparaître tout ce que le trépas tirait de cette souffrance jumelle. Mais en s'émancipant peu à peu de la souffrance, la mort perd beaucoup de son virus pascalien. L'homme sans Dieu finissait face à la preuve de son absurdité. L'aléatoire ne peut rien contre le Mal, sinon le noyer dans la statistique (encore n'y noie-t-il pas la torture); mais il agit contre la mort — contre l'accusation de toute vie par la mort — de façon corrosive, en liant tout problème métaphysique posé par la vie, à un élément de surprise : un monde inélucidable peut être tragique, il est d'abord surprenant. La question : « Pourquoi quelque chose, plutôt que rien? » se posait avant Spinoza, mais à des hommes pour qui quelque chose existait nécessairement. De façon singulière, l'efficacité de notre civilisation semble plus déroutante encore. Que la mort existe, et que seule lui réponde la Crucifixion, appelle avant tout le pathétique; mais un incroyant est d'abord surpris d'être né, de voir passer l'univers... La mort est un mystère invincible; la vie, un mystère insolite.

Depuis longtemps, le mythe suprême qui répond à la mort chrétienne, est la mort de Socrate selon Platon. Socrate accorde sa mort à un cosmos, à un Ordre surhumain. Dommage, que Dostoïevski n'ait posé sa question qu'au Christ! (Elle ne s'adressait qu'à lui.) Mais la réponse de Socrate ignore les limites rationnelles — et bourgeoises, dirait un marxiste — de celle de Voltaire.

Que le disciple Criton n'oublie pas le coq promis à Esculape!... Les dieux sont là. Mais je voudrais bien savoir ce que l'expression : « les dieux » signifiait pour Socrate. Il dit « les mortels » mais dans sa pensée, quel rôle jouent les Immortels? Il avait quatorze ans quand Eschyle est mort; n'accordons-nous pas sans peine *Les Euménides*, à la sérénité du regard que pose le sage, pour les siècles, sur le vaisseau de Délos dont la voile lui apporte la mort?...

Il n'existe pas de mot français qui donne de la grandeur à : étonnement. La grandeur est néanmoins nécessaire pour que l'attitude de Socrate prenne sa signification infinie. L'écho de ses paroles n'est pas un écho divin. Et nous qui ne croyons pas aux Olympiens, nous entendons un Socrate qui ne croirait pas aux dieux. Peu importent Platon, la biographie, l'histoire. En face de l'injustice suprême et de la mort (mais non de la douleur...) Socrate regarde s'effacer le monde qui ne s'efface jamais qu'une fois. Comment lui apparaissent alors son destin, sa mort imminente, Athènes, le monde? Tout cela, un jour, exista... C'est ici, que le mot étonnement a besoin de stature; car le regard posé sur la mort par l'homme de l'aléatoire, est celui d'un Socrate sans dieux.

Sans doute la pensée même est-elle fondée sur l'étonnement, mais notre civilisation doit trop à la Bible, pour qu'un étonnement métaphysique ne soit pas ressenti, au moins par notre inconscient, comme un drame — voire comme un abandon. L'Asie traditionnelle (pour laquelle l'Occident comprend géographiquement l'Islam) avec mépris, et l'Asie moderne, avec admiration, disent que la pensée occidentale est spécifiquement combat : depuis la Chute, jusqu'à la survie du plus fort, à la lutte des classes... Et il est vrai qu'en face de la pensée et de l'art bouddhistes ou taoïstes, nos chefs-d'œuvre chrétiens, nos tableaux modernes, la tragédie grecque même, présentent des accents que le Japon définit en notant que la sérénité ne s'y trouve jamais; *Recueillement* de Baudelaire prend un ton de destin, comparé aux Haï-kaï. Le scientisme postulait un monde où la force eût ordonné l'évolution des espèces avec la rigueur d'une loi suprême. Scientisme, marxisme ont visiblement joué le rôle d'anti-religions; au nom de la Vérité, comme les religions. Mais science contre christianisme, christianisme contre trépas, la seule civilisation qui ait soumis la terre, en a bien cherché la loi dans le combat, malgré les Évangiles; et Socrate parlerait autrement s'il refusait la ciguë — si son sourire n'unissait l'enfant de jadis, le génial bavard, ses jambes gagnées par le froid du poison, et peut-être ce chahut d'échafaudages qui dévale de l'Acropole... La ciguë n'est pas moins fortuite que le Parthénon — ni que Socrate.

Devant l'aléatoire, ni le monde ni l'homme n'ont de sens, puisque sa définition même est l'impossibilité d'un sens — par la pensée comme par la foi. Il n'a pas plus d'athées que de fidèles. Nous sommes dupes de notre vocabulaire, qui nous concède le choix entre le sens et l'absurde. La sommation de la mort, irréfutable par l'individu, conserve-t-elle pour une culture sa profondeur de tambour de bronze? « Nous autres, civilisations, nous savons maintenant que nous sommes mortelles. » Cette célèbre incurabilité, née de Spengler et non de Valéry, ignore la métamorphose chez l'un comme chez l'autre, si bien qu'on peut la traduire par : « Nous autres chrysalides, nous savons maintenant que nous sommes provisoires. » Conscience aussi étrangère au mythe de la Révolution, par exemple, que celui-ci à la Parousie ou au Jugement... Mais le rapport entre l'homme et la mort n'est pas le moindre caractère des civilisations, et la nôtre se métamorphose sous nos yeux. Liée ou non à l'aléatoire, une civilisation qui ferait de celles qui nous précèdent, celles d'une vaste époque métaphysique, d'une ère de la mort, imposerait une métamorphose comparable en profondeur à celle qui substitua l'imaginaire-de-fiction à l'imaginaire-de-vérité. Donc, imprévisible; toutefois souterrainement présente, par l'épique précarité qu'elle inocule à notre époque. Une autre métamorphose spirituelle est aussi concevable — ou aussi peu. Mais assez pour que notre civilisation ne reste pas inéluctablement prisonnière, soit d'une aventure cohérente de l'humanité, soit d'un retour éternel nietzschéen, spenglérien ou encore inconnu. L'aléatoire n'exige pas l'absurde, mais un agnosticisme de l'esprit; le tragique n'est pas sa dernière instance, et sans doute n'en a-t-il pas d'autre, que lui-même. Pour lui l'homme n'est qu'objet d'interrogation, à la façon dont le monde l'est pour la science. Et avec autant de rigueur que la chrétienté enfanta le chrétien, la plus puissante civilisation de l'histoire aura enfanté l'homme précaire.

Nous résignerons-nous à voir dans l'homme l'animal qui *ne peut pas* ne pas vouloir penser un monde qui échappe par nature à son esprit? Ou nous souviendrons-nous que les événements spirituels capitaux ont récusé toute prévision?

DU MÊME AUTEUR

Toutes ces œuvres ont été publiées aux Éditions Gallimard, à l'exception de celles parues aux Éditions Grasset : LES CONQUÉRANTS, LA VOIE ROYALE *et* LA TENTATION DE L'OCCIDENT.